gli elefanti

Italo Calvino

Le Cosmicomiche

Garzanti

Prima edizione: maggio 1988

ISBN 88-11-66681-3

Le Cosmicomiche

La distanza della Luna

Una volta, secondo Sir George H. Darwin, la Luna era molto vicina alla Terra. Furono le maree che a poco a poco la spinsero lontano: le maree che lei Luna provoca nelle acque terrestri e in cui la Terra perde lentamente energia.

Lo so bene! – *esclamò il vecchio Qfwfq*, – voi non ve ne potete ricordare ma io sì. L'avevamo sempre addosso, la Luna, smisurata: quand'era il plenilunio – notti chiare come di giorno, ma d'una luce color burro –, pareva che ci schiacciasse; quand'era lunanuova rotolava per il cielo come un nero ombrello portato dal vento; e a lunacrescente veniva avanti a corna così basse che pareva lì lì per infilzare la cresta d'un promontorio e restarci ancorata. Ma tutto il meccanismo delle fasi andava diversamente che oggigiorno: per via che le distanze dal Sole erano diverse, e le orbite, e l'inclinazione non ricordo di che cosa; eclissi poi, con Terra e Luna così appiccicate, ce n'erano tutti i momenti: figuriamoci se quelle due bestione non trovavano modo di farsi continuamente ombra a vicenda.

L'orbita? Ellittica, si capisce, ellittica: un po' ci s'appiattiva addosso e un po' prendeva il volo. Le maree, quando la Luna si faceva più sotto, salivano che non le teneva più nessuno. C'erano delle notti di plenilunio basso basso e d'altamarea alta alta che se la Luna non si bagnava in mare ci mancava un pelo; diciamo: pochi metri. Se non abbiamo mai provato a salirci? E come no? Bastava andarci proprio

9

sotto con la barca, appoggiarci una scala a pioli e montar su.

Il punto dove la Luna passava più basso era al largo degli Scogli di Zinco. Andavamo con quelle barchette a remi che si usavano allora, tonde e piatte, di sughero. Ci si stava in parecchi: io, il capitano Vhd Vhd, sua moglie, mio cugino il sordo, e alle volte anche la piccola Xlthlx che allora avrà avuto dodici anni. L'acqua era in quelle notti calmissima, argentata che pareva mercurio, e i pesci, dentro, violetti, che non potendo resistere all'attrazione della Luna venivano tutti a galla, e così polpi e meduse color zafferano. C'era sempre un volo di bestioline minute — piccoli granchi, calamari, e anche alghe leggere e diafane e piantine di corallo — che si staccavano dal mare e finivano nella Luna, a penzolare giù da quel soffitto calcinoso, oppure restavano lì a mezz'aria, in uno sciame fosforescente, che scacciavamo agitando delle foglie di banano.

Il nostro lavoro era così: sulla barca portavamo una scala a pioli: uno la reggeva, uno saliva in cima, e uno ai remi intanto spingeva fin lì sotto la Luna; per questo bisognava che si fosse in tanti (vi ho nominato solo i principali). Quello in cima alla scala, come la barca s'avvicinava alla Luna, gridava spaventato: – Alt! Alt! Ci vado a picchiare una testata! – Era l'impressione che dava, a vedersela addosso così immensa, così accidentata di spunzoni taglienti e orli slabbrati e seghettati. Ora forse è diverso, ma allora la Luna, o meglio il fondo, il ventre della Luna, insomma la parte che passava più accosto alla Terra fin quasi a strisciarle addosso, era coperta da una crosta di scaglie puntute. Al ventre d'un pesce, era venuta somigliando, e anche l'odore, a quel che ricordo, era, se non proprio di pesce, appena più tenue, come il salmone affumicato.

In realtà, d'in cima alla scala s'arrivava giusto a toccarla tendendo le braccia, ritti in equilibrio sull'ultimo piolo. Avevamo preso bene le misure (non sospettavamo ancora che si stesse allontanando); l'unica cosa cui bisognava stare molto attenti era come si mettevano le mani. Sceglievo una scaglia che paresse salda (ci toccava salire tutti, a turno, in squadre di cinque o sei), m'aggrappavo con una mano, poi con l'altra e immediatamente sentivo scala e barca scapparmi di sotto, e il moto della Luna svellermi dall'attrazione terrestre. Sì, la Luna aveva una forza che ti strappava, te ne accorgevi in quel momento di passaggio tra l'una e l'altra: bisognava tirarsi su di scatto, con una specie di capriola, afferrarsi alle scaglie, lanciare in su le gambe, per ritrovarsi in piedi sul fondo lunare. Visto dalla Terra apparivi come appeso a testa in giù, ma per te era la solita posizione di sempre, e l'unica cosa strana era, alzando gli occhi, vederti addosso la cappa del mare luccicante con la barca e i compagni capovolti che dondolavano come un grappolo dal tralcio.

Chi in quei salti dispiegava un particolare talento, era mio cugino il sordo. Le sue rozze mani, appena toccavano la superficie lunare (era sempre il primo a saltare dalla scala) si facevano improvvisamente soffici e sicure. Trovavano subito il punto in cui far presa per issarsi, anzi pareva che solo con la pressione delle palme egli aderisse alla crosta del satellite. Una volta mi parve addirittura che la Luna mentre lui protendeva le mani gli venisse incontro.

Altrettanto abile egli era nella discesa sulla Terra, operazione più difficile ancora. Per noialtri, consisteva in un salto in alto, più in alto che si poteva, a braccia alzate (visto dalla Luna, perché visto dalla Terra invece era più simile a un tuffo, o a una nuotata in profondità, le braccia penzoloni), uguale identico al salto dalla Terra, insomma, solo che adesso ci mancava la scala, perché sulla Luna non c'era niente a cui appoggiarla. Ma mio cugino, invece di buttarsi a braccia avanti, si chinava sulla superficie lunare a testa in giù come in una capriola, e prendeva a spiccare salti facendo forza sulle mani. Noi dalla barca lo vedevamo ritto nell'aria come se reggesse l'enorme palla della Luna e la facesse sobbalzare colpendola colle palme, finché le sue gambe non ci arrivavano a tiro e noi riuscivamo ad afferrarlo per le caviglie e tirarlo giù a bordo.

Ora voi mi chiederete cosa diavolo andavamo a fare sulla Luna, e io ve lo spiego. Andavamo a raccogliere il latte, con un grosso cucchiaio ed un mastello. Il latte lunare era molto denso, come una specie di ricotta. Si formava negli interstizi tra scaglia e scaglia per la fermentazione di diversi corpi e sostanze di provenienza terrestre, volati su dalle praterie e foreste e lagune che il satellite sorvolava. Era composto essenzialmente di: succhi vegetali, girini di rana, bitume, lenticchie, miele d'api, cristalli d'amido, uova di storione, muffe, pollini, sostanze gelatinose, vermi, resine, pepe, sali minerali, materiale di combustione. Bastava immergere il cucchiaio sotto le scaglie che coprivano il suolo crostoso della Luna e lo si ritirava pieno di quella preziosa fanghiglia. Non allo stato puro, si capisce; le scorie erano molte: nella fermentazione (attraversando la Luna le distese di aria torrida sopra i deserti) non tutti i corpi si fondevano; alcuni rimanevano conficcati lì: unghie e cartilagini, chiodi, cavallucci marini, noccioli e peduncoli, cocci di stoviglie, ami da pesca, certe volte anche un pettine. Così questa puré, dopo raccolta, bisognava scremarla, passarla in un colino. Ma la difficoltà non era quella: era come mandarla sulla Terra. Si faceva così: ogni cucchiaiata la si lanciava in su, manovrando il cucchiaio come una catapulta, con due mani. La ricotta volava e se il tiro era abbastanza forte s'andava a spiaccicare sul soffitto, cioè sulla superficie marina. Una volta là, restava a galla e tirarla su dalla barca era poi facile. Anche in questi lanci mio cugino il sordo dispiegava una particolare bravura; aveva polso e mira; con un colpo deciso riusciva a centrare il suo tiro in un mastello che gli tendevamo dalla barca. Invece io certe volte facevo cilecca; la cucchiaiata non riusciva a vincere l'attrazione lunare e mi ricadeva in un occhio.

Non vi ho detto ancora tutto, delle operazioni in cui mio cugino eccelleva. Quel lavoro di spremere latte lunare dalle scaglie, per lui era una specie di gioco: invece del cucchiaio certe volte bastava ficcasse sotto le squame la mano nuda, o solo un dito. Non procedeva con ordine ma in punti isolati, spostandosi dall'uno all'altro con salti, come volesse giocare degli scherzi alla Luna, delle sorprese, o addirittura provocarle il solletico. E dove metteva la mano lui, il latte schizzava fuori come dalle mammelle d'una capra. Tanto che a noialtri non restava che tenergli dietro, e raccogliere coi cucchiai la sostanza che egli andava, ora qua ora là, facendo gemere; ma sempre come per caso, dato che gli itinerari del sordo non parevano rispondere ad alcun chiaro proposito pratico. C'erano punti, per esempio, che toccava solamente per il gusto di toccarli: interstizi tra scaglia e scaglia, pieghe nude e tenere della polpa lunare. Alle volte mio cugino vi premeva non le dita della mano, ma – in una mossa ben calcolata dei suoi salti – l'alluce (montava sulla Luna a piedi scalzi) e pareva che ciò fosse per lui il colmo del divertimento, a giudicare dallo squittio che emetteva la sua ugola, e dai nuovi salti che seguivano.

Il suolo della Luna non era uniformemente squamoso, ma scopriva irregolari zone nude d'una scivolosa argilla pallida. Al sordo questi spazi morbidi davano la fantasia di capriole o voli quasi da uccello, come ve volesse imprimersi nella pasta lunare con tutta la persona. Così inoltrandosi, a un certo punto lo perdevamo di vista. Sulla Luna s'estendevano regioni che mai avevamo avuto motivo o curiosità d'esplorare, ed era là che mio cugino spariva; e io m'ero fatto l'idea che tutte quelle capriole e pizzicotti in cui si sbizzarriva sotto i nostri occhi non fossero che una preparazione, un preludio, a qualcosa di segreto che doveva svolgersi nelle zone nascoste.

Uno speciale umore ci prendeva, in quelle notti al largo degli Scogli di Zinco; allegro, ma un po' come sospeso, come se dentro il cranio sentissimo, al posto del cervello, un pesce, che galleggiava attratto dalla Luna. E così si navigava suonando e cantando. La moglie del capitano suonava l'arpa;

aveva braccia lunghissime, argentate in quelle notti come anguille, e ascelle oscure e misteriose come ricci marini; e il suono dell'arpa era così dolce e acuto, dolce e acuto che quasi non si poteva sostenere, ed eravamo obbligati a lanciare lunghi gridi, non tanto per accompagnamento della musica quanto per proteggerne il nostro udito.

Meduse trasparenti affioravano sulla superficie marina, vibravano un poco, spiccavano il volo verso la Luna ondeggiando. La piccola Xlthlx si divertiva ad acchiapparle in aria, ma non era facile. Una volta, tendendosi con le sue braccine per ghermirne una, fece un saltello e si trovò anche lei librata. Magrolina com'era, le mancava qualche oncia di peso perché la gravità la riportasse sulla Terra vincendo l'attrazione lunare: così lei volava tra le meduse sospesa sopra il mare. Subito si spaventò, pianse, poi rise, poi si mise a giocare acchiappando al volo crostacei e pesciolini, alcuni portandoli alla bocca e mordicchiandoli. Noi vogavamo per tenerle dietro: la Luna correva via per la sua ellisse trascinandosi dietro quello sciame di fauna marina per il cielo, ed uno strascico di lunghe alghe inanellate, e la bambina sospesa là nel mezzo. Aveva due treccine sottili, Xlthlx, che pareva volassero per conto loro, tese verso la Luna; ma intanto scalciava, dava colpi di stinchi all'aria, come volesse combattere quell'influsso, e le calze – aveva perso i sandali nel volo – le si sfilavano dai piedi e penzolavano attratte dalla forza terrestre. Noi sulla scala cercavamo d'afferrarle.

Quella di mettersi a mangiare le bestioline sospese era stata un'idea buona; più Xlthlx guadagnava peso più calava verso la Terra; anzi, siccome tra quei corpi librati il suo era quello di maggior massa, molluschi e alghe e plancton presero a gravitare su lei, e presto la bambina fu ricoperta di minuscoli gusci silicei, corazze chitinose, carapaci, e filamenti d'erbe marine. E più si perdeva in questo groviglio, più veniva liberandosi dall'influsso lunare, fino a che sfiorò il pelo dell'acqua e vi s'immerse.

Vogammo pronti a raccoglierla e a soccorrerla: il suo corpo era rimasto calamitato, e dovemmo faticare per spogliarla di tutto quel che le si era incrostato addosso. Coralli teneri le avvolgevano il capo, e dai capelli ogni colpo di pettine faceva piovere acciughe e gamberetti; gli occhi erano sigillati da gusci di patelle che aderivano alle palpebre con le loro ventose; tentacoli di seppia erano avvolti attorno alle braccia ed al collo; e la vestina pareva ormai intessuta solo d'alghe e di spugne. La liberammo del più grosso; e poi lei per settimane continuò a staccarsi di dosso pinne e conchiglie; ma la pelle picchiettata di minutissime diatomee, quella le rimase per sempre, sotto l'apparenza – per chi non l'osservava bene – d'un sottile spolverio di nei. *Frekles*

Così conteso era l'interstizio tra Terra e Luna dai due influssi che si bilanciavano. Dirò di più: un corpo che scendeva a Terra dal satellite restava per qualche tempo ancora carico della forza lunare e si rifiutava all'attrazione del nostro mondo. Anch'io, con tutto che fossi grande e grosso, ogni volta che ero stato lassù, tardavo a riabituarmi al sopra e al sotto terrestri, e i compagni dovevano acchiapparmi per le braccia e trattenermi a forza, appesi a grappolo nella barca ondeggiante, mentre io a testa bassa continuavo ad allungare le gambe verso il cielo.

– Tieniti! Tieniti forte a noi! – mi gridavano, e io in questo brancicare alle volte finivo per afferrare una mammella della signora Vhd Vhd, che le aveva tonde e sode, e il contatto era buono e sicuro, esercitava un'attrazione pari o più forte di quella della Luna, specie se nella mia calata a capofitto riuscivo con l'altro braccio a cingerla sui fianchi, e così ormai di nuovo ero passato a questo mondo, e cadevo di schianto sul fondo della barca, e il capitano Vhd Vhd per rianimarmi mi gettava addosso un secchio d'acqua.

Così cominciò la storia del mio innamoramento per la moglie del capitano, e delle mie sofferenze. Perché non tardai ad accorgermi a chi andavano gli sguardi più ostinati

15

della signora: quando le mani di mio cugino si posavano sicure sul satellite, io fissavo lei, e nel suo sguardo leggevo i pensieri che quella confidenza tra il sordo e la Luna le andava suscitando, e quando egli spariva per le sue misteriose esplorazioni lunari la vedevo farsi inquieta, stare come sulle spine, e tutto ormai m'era chiaro, di come la signora Vhd Vhd stava diventando gelosa della Luna e io geloso di mio cugino. Aveva occhi di diamante, la signora Vhd Vhd; fiammeggiavano, quando guardava la Luna, quasi in una sfida, come dicesse: «Non lo avrai!». E io mi sentivo escluso.

Di tutto questo, chi meno si dava per inteso era il sordo. Quando lo si aiutava nella discesa tirandolo — come vi ho spiegato – per le gambe, la signora Vhd Vhd perdeva ogni ritegno prodigandosi nel fargli pesare addosso la sua persona, avviluppandolo con le lunghe sue braccia argentee; io ne provavo una fitta al cuore (le volte che io mi aggrappavo a lei, il suo corpo era docile e gentile, ma non buttato avanti come con mio cugino), mentre lui era indifferente, perduto ancora nel suo rapimento lunare.

Guardavo il capitano, chiedendomi se anche lui notasse il comportamento di sua moglie; ma nessuna espressione passava mai su quel volto roso dalla salsedine, solcato da rughe incatramate. Essendo il sordo sempre l'ultimo a staccarsi dalla Luna, la sua discesa era il segno della partenza per le barche. Allora, con un gesto insolitamente gentile, Vhd Vhd raccoglieva l'arpa dal fondo della barca e la porgeva alla moglie. Lei era obbligata a prenderla e a trarne qualche nota. Nulla poteva distaccarla dal sordo più che il suono dell'arpa. Io prendevo a intonare quella canzone melanconica, che fa: «Ogni pesce lucente è a galla è a galla, ed ogni pesce oscuro è in fondo è in fondo...» e tutti, tranne il cugino, mi facevano coro.

Ogni mese, appena il satellite era passato in là, il sordo rientrava nel suo isolato distacco per le cose del mondo; solo

16

l'approssimarsi del plenilunio lo risvegliava. Quella volta io avevo fatto in modo di non essere nel turno della salita per restare in barca vicino alla moglie del capitano. Ed ecco, appena mio cugino era salito su per la scala, la signora Vhd Vhd disse: – Oggi ci voglio andare anch'io, lassù!

Non era mai successo che la moglie del capitano salisse sulla Luna. Ma Vhd Vhd non s'oppose, anzi quasi la spinse di peso sulla scala, esclamando: – E vacci! – e tutti prendemmo allora ad aiutarla e io la reggevo da dietro, e la sentivo sulle mie braccia tonda e morbida, e per sostenerla premevo contro di lei le palme e il viso, e quando la sentii levarsi nella sfera lunare mi colse uno struggimento per quel contatto perduto, tanto che feci per buttarmi dietro a lei dicendo: – Vado un po' su a dare anch'io una mano!

Fui trattenuto come da una morsa. – Tu resti qui che poi ci hai qui da fare, – mi ordinò senza alzar la voce il capitano Vhd Vhd.

Già le intenzioni di ciascuno a quel momento erano chiare. Eppure io non mi ci raccapezzavo, anzi ancora adesso non sono sicuro d'aver interpretato tutto esattamente. Certo la moglie del capitano aveva lungamente covato il desiderio d'appartarsi lassù con mio cugino (o almeno: di non lasciare che egli si appartasse da solo con la Luna), ma, probabilmente il suo piano aveva un obiettivo più ambizioso, tale da dover essere architettato d'intesa con il sordo: nascondersi insieme lassù e restare sulla Luna un mese. Ma può darsi che mio cugino, sordo com'era, non avesse capito niente di quel che lei aveva cercato di spiegargli, o addirittura non si fosse nemmeno reso conto d'essere oggetto dei desideri della signora. E il capitano? Non attendeva altro che di liberarsi della moglie, tanto è vero che appena lei fu confinata lassù lo vedemmo abbandonarsi alle sue inclinazioni e sprofondare nel vizio, e allora comprendemmo perché non aveva fatto nulla per trattenerla. Ma sapeva già da principio, lui, che l'orbita della Luna s'andava allargando?

Nessuno di noi poteva sospettarlo. Il sordo, forse solo il sordo: nella maniera larvale in cui sapeva lui le cose, aveva presentito che quella notte gli toccava di dar l'addio alla Luna. Per questo si nascose nei suoi luoghi segreti e non ricomparve che per tornare a bordo. E la moglie del capitano ebbe un bell'inseguirlo: la vedemmo attraversare la distesa squamosa più volte, in lungo e in largo, e a un tratto si fermò guardando noi rimasti in barca, quasi sul punto di chiederci se l'avevamo visto.

Certo c'era qualcosa d'insolito quella notte. La superficie del mare, anziché tesa come sempre quand'era lunapiena, anzi quasi inarcata verso il cielo, ora pareva restarsene allentata, floscia, come se la calamita lunare non esercitasse tutta la sua forza. E pure la luce non si sarebbe detta la stessa degli altri pleniluni, come per un ispessirsi della tenebra notturna. Anche i compagni lassù dovettero rendersi conto di quel che stava avvenendo, difatti levarono verso di noi occhi spauriti. E dalle loro bocche e dalle nostre, nello stesso momento, uscì un grido: – La Luna s'allontana!

Non s'era ancora spento questo grido, che sulla Luna apparve mio cugino, correndo. Non sembrava spaventato, e nemmeno stupito: posò le mani al suolo buttandosi nella sua capriola di sempre, ma stavolta dopo essersi slanciato in aria restò lì, sospeso, come già era successo alla piccola Xlthlx, volteggiò per un momento tra Luna e Terra, si capovolse, poi con uno sforzo delle braccia come chi nuotando deve vincere una corrente, si diresse, con insolita lentezza, verso il nostro pianeta.

Dalla Luna gli altri marinai s'affrettarono a seguire il suo esempio. Nessuno pensava a far giungere alle barche il latte lunare raccolto, né il capitano li redarguiva per questo. Già avevano aspettato troppo, la distanza era ormai difficile da attraversare; per quanto essi cercassero d'imitare il volo o nuoto di mio cugino, restarono ad annaspare, sospesi in mezzo al cielo. – Serrate! Imbecilli! Serrate! – urlò il capitano. Al

18

suo ordine, i marinai cercarono di raggrupparsi, di far massa, di spingere tutti insieme fino a raggiungere la zona d'attrazione terrestre: finché a un tratto una cascata di corpi precipitò in mare con un tonfo.

Le barche ora remavano a raccoglierli. – Aspettate! Manca la signora! – gridai. La moglie del capitano aveva tentato anche lei il salto ma era rimasta librata a pochi metri dalla Luna, e muoveva mollemente le lunghe braccia argentee nell'aria. M'arrampicai sulla scaletta, e nel vano intento di porgerle un appiglio protendevo l'arpa verso di lei. – Non ci si arriva! Bisogna andare a prenderla! – e feci per slanciarmi, brandendo l'arpa. Sopra di me l'enorme disco lunare pareva non fosse più lo stesso di prima, tanto era rimpicciolito, anzi, ecco che s'andava sempre più contraendo quasi fosse il mio sguardo a spingerlo lontano, e il cielo sgombro si spalancava come un abisso in fondo al quale le stelle s'andavano moltiplicando, e la notte rovesciava su di me un fiume di vuoto, mi sommergeva di sgomento e di vertigine.

«Ho paura! – pensai. – Ho troppa paura per buttarmi! Sono un vile!» e in quel momento mi buttai. Nuotavo per il cielo furiosamente, e tendevo l'arpa verso di lei, e invece di venirmi incontro lei si rivoltolava su se stessa mostrandomi ora il viso impassibile ora il tergo.

– Uniamoci! – gridai, e già la raggiungevo, e l'afferravo alla vita, e allacciavo le mie membra alle sue. — Uniamoci e caliamo insieme! — e concentravo le mie forze nel congiungermi più strettamente a lei, e le mie sensazioni nel gustare la completezza di quell'abbraccio. Tanto che tardai a rendermi conto che stavo sì strappandola al suo stato di librazione ma facendola ricadere sulla Luna. Non me ne resi conto? Oppure questa era stata fin dal principio la mia intenzione? Ancora non ero riuscito a formulare un pensiero, e digià un grido irrompeva dalla mia gola: – Sarò io a restare con te un mese! – anzi: – Su! – gridavo, nella mia concitazione: – Io su te un mese! – e in quel momento la caduta sul suolo lunare aveva sciolto il nostro abbraccio, ci aveva rotolato me qua e lei là tra quelle fredde scaglie.

Alzai gli occhi come facevo ogni volta che toccavo la crosta della Luna, sicuro di ritrovare sopra di me il natio mare come uno sterminato soffitto, e lo vidi, sì lo vidi anche stavolta, ma quanto più alto, e quanto esiguamente limitato dai suoi contorni di coste e scogli e promontori, e quanto piccole v'apparivano le barche, ed irriconoscibili i volti dei compagni e fiochi i loro gridi! Un suono mi raggiunse da poco distante: la signora Vhd Vhd aveva ritrovato la sua arpa, e la carezzava accennando un accordo mesto come un pianto.

Cominciò un lungo mese. La Luna girava lenta intorno alla Terra. Sul globo sospeso vedevamo non più la nostra riva familiare ma il trascorrere di oceani profondi come abissi, e deserti di lapilli incandescenti, e continenti di ghiaccio, e foreste guizzanti di rettili, e le mura di roccia delle catene montane tagliate dalla lama dei fiumi precipitosi, e città palustri, e necropoli di tufo, e imperi di argilla e fango. La lontananza spalmava su ogni cosa un medesimo colore: le prospettive estranee rendevano estranea ogni immagine; torme d'elefanti e sciami di locuste percorrevano le pianure così ugualmente vasti e densi e fitti da non fare differenza.

Avrei dovuto essere felice: come nei miei sogni ero solo con lei, l'intimità con la Luna tante volte invidiata a mio cugino e quella della signora Vhd Vhd erano adesso mio esclusivo appannaggio, un mese di giorni e notti lunari si stendeva ininterrotto davanti a noi, la crosta del satellite ci nutriva col suo latte dal sapore acidulo e familiare, il nostro sguardo si levava lassù al mondo dov'eravamo nati, finalmente percorso in tutta la sua multiforme estensione, esplorato in paesaggi mai visti da nessun terrestre, oppure contemplava le stelle di là della Luna, grosse come frutta di luce maturata sui ricurvi rami del cielo, e tutto era al di là delle speranze più luminose, e invece e invece e invece era l'esilio.

Non pensavo che alla Terra. Era la Terra a far sì che ciascuno fosse proprio quel qualcuno e non altri; quassù, strappati alla Terra, era come se io non fossi più quell'io, né lei per me quella lei. Ero ansioso di tornare sulla Terra, e trepidavo nel timore d'averla perduta. Il compimento del mio sogno d'amore era durato solo quell'istante in cui c'eravamo congiunti roteando tra Terra e Luna; privato del suo terreno terrestre, il mio innamoramento ora non conosceva che la nostalgia straziante di ciò che ci mancava; un dove, un intorno, un prima, un poi.

Questo era ciò che io provavo. Ma lei? Chiedendomelo, ero diviso nei miei timori. Perché se anche lei non pensava che alla Terra, poteva essere un buon segno, d'un'intesa con me finalmente raggiunta, ma poteva anche essere segno che tutto era stato inutile, che era ancora solo al sordo al sordo che miravano i suoi desideri. Invece, nulla. Non levava mai lo sguardo al vecchio pianeta, se ne andava pallida fra quelle lande, borbottando nenie e carezzando l'arpa, come immedesimata nella sua provvisoria (io credevo) condizione lunare. Era segno che avevo vinto sul mio rivale? No; avevo perso; una sconfitta disperata. Perché ella aveva ben compreso che l'amore di mio cugino era solo per la Luna, e tutto quel che lei voleva ormai era diventare Luna, assimilarsi all'oggetto di quell'amore extraumano.

Compiuto ch'ebbe la Luna il suo giro del pianeta, ecco che ci ritrovammo di nuovo sopra gli Scogli di Zinco. Fu con sbigottimento che li riconobbi: neanche nelle mie più nere previsioni m'ero aspettato di vederli così rimpiccioliti dalla distanza. In quella pozzanghera di mare i compagni erano tornati a navigare senza più le scale a pioli ormai inutili; ma dalle barche s'alzò come una selva di lunghe lance; ognuno d'essi ne brandiva una, guernita in cima di un arpione o raffio, forse nella speranza di raschiare ancora un po' dell'ultima ricotta lunare e magari porgere a noi meschini quassù un qualche aiuto. Ma subito fu chiaro come non ci fosse lunghezza di pertica bastante a raggiungere la Luna; e

21

ricaddero, ridicolmente corte, avvilite, a galleggiare sul mare; e qualche barca in quel trambusto ne fu sbilanciata e capovolta. Ma proprio allora da un'altra imbarcazione cominciò a levarsene una più lunga, trascinata fin lì sul pelo dell'acqua: doveva essere di bambú, di molte e molte canne di bambù inastate una sull'altra, e per alzarla bisognava andar piano perché – sottile com'era – le oscillazioni non la spezzassero, e manovrarla con grande forza e perizia, perché il peso tutto verticale non facesse tracollare la barchetta.

Ed ecco: era chiaro che la punta di quell'asta avrebbe toccato la Luna, e la vedemmo sfiorare e premere il suolo squamoso, appoggiarvisi un momento, dare quasi una piccola spinta, anzi una forte spinta che la faceva allontanare di nuovo, e poi tornare a picchiare in quel punto come di rimbalzo, e di nuovo allontanarsi. E allora lo riconobbi, anzi, tutti e due — io e la signora — lo riconoscemmo, mio cugino, non poteva essere che lui, era lui che faceva il suo ultimo gioco con la Luna, un trucco dei suoi, con la Luna sulla punta della canna come se la tenesse in equilibrio. E ci accorgemmo che la sua bravura non mirava a nulla, non intendeva raggiungere nessun risultato pratico, anzi si sarebbe detto che la stesse spingendo via, la Luna, che ne stesse assecondando l'allontanamento, che la volesse accompagnare sulla sua orbita più distante. E anche questo era da lui: da lui che non sapeva concepire desideri in contrasto con la natura della Luna e il suo corso e il suo destino, e se la Luna ora tendeva ad allontanarsi da lui, ebbene egli godeva di questo allontanamento come aveva fino allora goduto della sua vicinanza.

Cosa doveva fare, di fronte a questo, la signora Vhd Vhd? Solo in quel momento ella mostrò fino a che punto il suo innamoramento per il sordo non era stato un frivolo capriccio ma un voto senza ritorno. Se quel che ora mio cugino amava era la Luna lontana, lei sarebbe rimasta lontana, sulla Luna. Lo intuii vedendo che non faceva un passo verso il bambù, ma solo rivolgeva l'arpa verso la Terra alta in cielo, pizzicando le corde. Dico che la vidi, ma in realtà fu solo con l'angolo dell'occhio che captai la sua immagine, perché appena l'asta aveva toccato la crosta lunare io ero saltato ad aggrapparmici, e ora rapido come un serpente m'arrampicavo per i nodi del bambù, salivo a scatti delle braccia e delle ginocchia, leggero nello spazio rarefatto, spinto come da una forza di natura che mi comandava di tornare sulla Terra, dimenticando il motivo che m'aveva portato lassù, o forse più che mai cosciente d'esso e del suo esito sfortunato, e già la scalata alla pertica ondeggiante era giunta al punto in cui non dovevo fare più alcuno sforzo ma solo lasciarmi scivolare a testa avanti attratto dalla Terra, fino a che in questa corsa la canna si ruppe in mille pezzi e io caddi nel mare tra le barche.

Era il dolce ritorno, la patria ritrovata, ma il mio pensiero era solo di dolore per lei perduta, e i miei occhi s'appuntavano sulla Luna per sempre irraggiungibile, cercandola. E la vidi. Era là dove l'avevo lasciata, coricata su una spiaggia proprio sovrastante alle nostre teste, e non diceva nulla. Era del colore della Luna; teneva l'arpa al suo fianco, e muoveva una mano in arpeggi lenti e radi. Si distingueva bene la forma del petto, delle braccia, dei fianchi, così come ancora la ricordo, così come anche ora che la Luna è diventata quel cerchietto piatto e lontano, sempre con lo sguardo vado cercando lei appena nel cielo si mostra il primo spicchio, e più cresce più m'immagino di vederla, lei o qualcosa di lei ma nient'altro che lei, in cento in mille viste diverse, lei che rende Luna la Luna e che ogni plenilunio spinge i cani tutta la notte a ululare e io con loro.

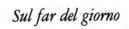

Sul far del giorno

I pianeti del sistema solare, spiega G. P. Kuiper, cominciarono a solidificarsi nelle tenebre per la condensazione d'una fluida e informe nebulosa. Tutto era freddo e buio. Più tardi il Sole prese a concentrarsi fino a che si ridusse quasi alle dimensioni attuali, e in questo sforzo la temperatura salì, salì a migliaia di gradi e prese a emettere radiazioni nello spazio.

Buio pesto, era – *confermò il vecchio Qfwfq*, – io ero bambino ancora, me ne ricordo appena. Stavamo lì, al solito, col babbo e la mamma, la nonna Bb'b, certi zii venuti in visita, il signor Hnw, quello che poi diventò un cavallo, e noi più piccoli. Sulle nebule, mi pare d'averlo raccontato già altre volte, si stava come chi dicesse coricati, insomma appiattiti, fermi fermi, lasciandosi girare dalla parte dove girava. Non che si giacesse all'esterno, m'intendete?, sulla superficie della nebula; no: lì faceva troppo freddo; si stava sotto, come rincalzati in uno strato di materia fluida e granulosa. Modo di calcolare il tempo non ce n'era; tutte le volte che ci mettevamo a contare i giri della nebula nascevano delle contestazioni, dato che al buio non si avevano punti di riferimento; e finivamo col litigare. Così preferivamo lasciar scorrere i secoli come fossero minuti; non c'era che aspettare, tenersi coperti per quel tanto che si poteva, dormicchiare, darsi una voce ogni tanto per essere sicuri che eravamo sempre tutti lì; e – naturalmente – grattarsi; perché, si ha un bel dire, ma tutto questo vorticare di particelle non aveva altro effetto che un prurito fastidioso.

Cosa aspettassimo, nessuno avrebbe saputo dirlo; certo, la nonna Bb'b si ricordava ancora di quando la materia era uniformemente dispersa nello spazio, e il calore, e la luce; con tutte le esagerazioni che ci dovevano essere in quei racconti dei vecchi, pure i tempi erano stati in qualche modo migliori, o comunque diversi; e si trattava per noi di lasciar passare questa enorme notte.

Meglio di tutti si trovava mia sorella G'd(w)^n per il suo carattere introverso: era una ragazza schiva, e amava il buio. Per stare, G'd(w)^n sceglieva luoghi un po' discosti, sull'orlo della nebula, e contemplava il nero, e lasciava scorrere i granelli di pulviscolo in piccole cascate, e parlava tra sé, con risatine che erano come piccole cascate di pulviscolo, e canticchiava, e s'abbandonava – addormentata o desta – a sogni. Non erano sogni come i nostri – in mezzo al buio, noi sognavamo altro buio, perché non ci veniva in mente altro –; lei sognava – a quel che potevamo capire dal suo vaneggiare – un buio cento volte più fondo e vario e vellutato.

Fu mio padre il primo ad accorgersi che qualcosa stava cambiando. Io ero appisolato e il suo grido mi svegliò:

– Attenzione! Qui si tocca!

Sotto di noi la materia della nebula, da fluida che era sempre stata, cominciava a condensarsi.

Veramente mia madre già da alcune ore aveva preso a rigirarsi, a dire: – Uffa, non so da che parte star voltata! – insomma a sentir lei, avrebbe avvertito un cambiamento nel posto dov'era coricata: il pulviscolo non era più quello di prima, soffice, elastico, uniforme, da potercisi crogiolare quanto si voleva senza lasciare impronta, ma ci s'andava formando come un avvallamento o infossamento, specie dove lei era solita poggiare con tutto il peso. E le pareva di sentire là sotto come tanti granuli o ispessimenti o bozzi; che poi magari erano sepolti centinaia di chilometri più in giù e premevano attraverso tutti quegli strati di pulviscolo tenero. Non che di solito dessimo molta retta a queste premonizioni

28

di mia madre: poverina, per un'ipersensibile come lei, e già abbastanza in là negli anni, il modo di stare d'allora non era il più indicato per i nervi.

E poi ci fu mio fratello Rwzfs, a quel tempo infante, cui a un certo punto, sentendolo, che so?, sbattere, scavare, insomma agitarsi, chiesi: – Ma cosa fai? – e lui mi disse: – Gioco.

– Giochi? E con che cosa?

– Con una cosa, – disse.

Capite? Era la prima volta. Cose con cui giocare non ce n'erano mai state. E come volete che giocassimo? Con quella pappa di materia gassosa? Bel divertimento: roba che andava giusto bene per mia sorella $G'd(w)^n$. Se Rwzfs giocava era segno che aveva trovato qualcosa di nuovo: tanto che in seguito si disse, con una delle solite esagerazioni, che aveva trovato un ciottolo. Ciottolo no, ma certamente un insieme di materia più solida, o – diciamo – meno gassosa. Lui su questo punto non fu mai preciso, anzi raccontò delle storie, secondo come gli venivano, e quando ci fu l'epoca in cui si formò il nikel, e non si parlava che di nikel, lui disse: – Ecco: era il nikel, giocavo con del nikel! – per cui gli restò il soprannome «Rwzfs di nikel». (Non come dice ora qualcuno che lo chiamassero così perché era diventato di nikel, non riuscendo, tardo com'era, a andar più in là dello stadio minerale; le cose stanno diversamente, lo dico per amor di verità, non perché si tratta di mio fratello: era sempre stato un po' tardo, questo sì, ma non di tipo metallico, anzi piuttosto colloidale; tanto che, ancor giovanissimo, sposò un'alga, una delle prime, e non se ne seppe più nulla.)

Insomma, pare che tutti avessero sentito qualcosa; tranne me. Sarà che son distratto. Sentii – non ricordo se nel sonno o già desto – l'esclamazione di nostro padre: – Qui si tocca! – un'espressione senza significato (dato che prima d'allora niente aveva mai toccato niente, si può esserne certi), ma che acquistò un significato nello stesso istante in cui fu detta, cioè significò la sensazione che cominciavamo a provare, lievemente nauseante, come una lama di fanghiglia che ci passava sotto, di piatto, e su cui ci pareva di rimbalzare. E io dissi, con tono di rimprovero:

– Oh, nonna!

Mi sono chiesto molte volte in seguito perché la mia prima reazione sia stata di prendermela con nostra nonna. La nonna Bb'b, per essere rimasta con le sue abitudini d'altri tempi, faceva spesso cose fuor di luogo: continuava a credere che la materia fosse in espansione uniforme e, per esempio, l'immondizia bastasse buttarla lì come capita per vederla rarefarsi e scomparire via lontano. Che il processo di condensazione fosse cominciato da un po', cioè che il sudiciume s'infittisse sulle particelle cosicché non si riusciva più a levarcela di torno, questo non le entrava in testa. Così io oscuramente collegai quel fatto nuovo del «si tocca!» con qualcosa di sbagliato che poteva aver fatto mia nonna e lanciai quell'esclamazione.

E allora, nonna Bb'b: – Che? Hai ritrovato la ciambella?

Questa ciambella era un piccolo elissoide di materia galattica che la nonna aveva scovato chissadove nei primi cataclismi dell'universo e s'era portato sempre dietro, per sedercisi sopra. A un certo punto, nella gran notte, s'era perso, e mia nonna incolpava me d'avergielo nascosto. Ora, era vero che io quella ciambella l'avevo sempre odiata, tanto goffa e fuor di posto appariva sulla nostra nebula, ma quel che si poteva rimproverarmi era tutt'al più di non averle fatto costantemente la guardia, come la nonna pretendeva.

Anche mio padre, che con lei era sempre molto rispettoso, non poté trattenersi dal farglielo osservare: – Ma sentite, mamma, qui sta succedendo non so cosa, e voi, adesso, la ciambella!

– Ah, lo dicevo io che non riuscivo a dormire! – fece mia mamma: anche lei una battuta poco appropriata alla situazione.

In quella si sente un gran: – Puach! Uach! Sgrr! – e capimmo che al signor Hnw doveva esser successo qualcosa: sputava e scatarrava a tutt'andare.

– Signor Hnw! Signor Hnw! Si tenga su! Dov'è andato a finire? – prese a dire mio padre, e in quelle tenebre ancora senza spiraglio, a tentoni riuscimmo ad acciuffarlo e a issarlo sulla superficie della nebula, che riprendesse fiato. Lo sdraiammo su quello strato esterno che stava allora assumendo una consistenza quagliata e scivolosa.

– Uach! Ti si chiude addosso, 'sta roba! – cercava di dire il signor Hnw, che quanto a capacità d'esprimersi non era mai stato molto dotato. – Uno va giù, uno va giù, e inghiotte! Scrrach! – e sputava.

La novità era questa: che ora nella nebula se non si stava attenti si affondava. Mia madre, con l'istinto delle madri, fu la prima a capirlo. E gridò: – I bambini: ci siete tutti? Dove siete?

In verità c'eravamo un po' distratti, e mentre prima, quando tutto girava regolarmente per i secoli, ci si preoccupava sempre di non disperderci, adesso c'era passato di mente.

– Calma, calma. Nessuno s'allontani, – fece mio padre. – G'd(w)^n! Dove sei? E i gemelli? Chi ha visto i gemelli lo dica!

Nessuno rispose. – Ohimè si sono persi! – gridò nostra madre. I miei fratellini non erano ancora in età di saper comunicare alcun messaggio: perciò si perdevano facilmente e andavano continuamente sorvegliati. – Vado a cercarli! – feci io.

– Sì, va', bravo Qfwfq! – fecero babbo e mamma, e poi, subito pentiti: – Però, se t'allontani, ti perdi anche tu! Sta' qui! Be', va', ma fa' capire dove sei: fischia!

Cominciai a camminare nel buio, nel pantano di quella condensazione di nebula, emettendo un sibilo continuato. Dico: camminare, cioè un modo di muoversi in superficie, fino a pochi minuti prima inimmaginabile, e che adesso era tanto se si poteva accennare, perché la materia opponeva così poca resistenza che se non si stava attenti invece di proseguire sulla superficie si affondava in obliqua o addirittura in perpendicolare e ci si trovava sepolti. Ma in qualsiasi direzione andassi e a qualsiasi livello, le probabilità di trovare i fratellini erano uguali: chissà dove s'erano cacciati, quei due là.

A un tratto ruzzolai; come se mi avessero fatto – si direbbe oggi – lo sgambetto. Era la prima volta che cadevo, non sapevo nemmeno cosa fosse questo «cadere», ma eravamo ancora sul soffice e non mi feci niente. – Non calpestare qui, – disse una voce, – Qfwfq, non voglio –. Era la voce di mia sorella $G'd(w)^n$.

– Perché? Cosa c'è, lì?

– Ho fatto delle cose con le cose... – disse. Mi ci volle un po' di tempo a rendermi conto, a tastoni, che mia sorella, cincischiando con questa specie di mota, aveva tirato su una montagnola tutta pinnacoli, merlature e guglie.

– Ma cosa ti sei messa a fare?

$G'd(w)^n$ dava sempre risposte senza capo né coda: – Un fuori con dentro un dentro. Tzlll, tzlll, tzlll...

Continuai il mio cammino tra un capitombolo e l'altro. Inciampai anche nel solito signor Hnw, che era tornato a finire dentro la materia in condensazione, a capofitto. – Su, signor Hnw, signor Hnw! Possibile che non riesca a star ritto! – e mi toccò aiutarlo di nuovo a tirarsi fuori, stavolta con uno spintone da sotto in su, perché anch'io ero completamente immerso.

Il signor Hnw, tossendo e soffiando e sternutando (faceva un gelo mai sentito), sbucò in superficie proprio nel punto dove stava seduta nonna Bb'b. La nonna volò in aria, e subito si commosse: – I nipotini! Sono tornati i nipotini!

– Ma no, mamma, vedete, è il signor Hnw! – Non si capiva più niente.

– E i nipotini?

– Sono qui! – gridai, – e c'è anche la ciambella!

I gemelli dovevano essersi fatto da tempo un loro nascondiglio segreto, nello spessore della nebula, ed erano stati loro

32

a nascondere la ciambella là sotto, per giocarci. Finché la materia era stata fluida, librati là in mezzo potevano fare anche dei salti mortali attraverso la ciambella, ma adesso s'erano trovati prigionieri d'una specie di ricotta spugnosa: il buco della ciambella era tappato, e loro si sentivano schiacciati da ogni parte.

– Aggrappatevi alla ciambella! – cercai di far loro capire, – che vi tiro fuori, stupidini! – Tirai, tirai e a un certo punto, prima che se ne fossero accorti, già facevano capriole sulla superficie, che adesso s'era ricoperta d'una pellicola incrostata come chiara d'uovo. La ciambella, invece, appena emersa s'era già dissolta. Va' a sapere che razza di fenomeni succedevano in quei giorni; e vallo a spiegare a nonna Bb'b.

Proprio allora, come se non avessero saputo scegliere un momento migliore, gli zii s'alzarono lentamente e dissero: – Mah, s'è fatto tardi, i nostri bambini chissà cosa fanno, siamo un po' in pensiero, è stato un piacere avervi rivisto, però noi ora è meglio che ci avviamo.

Non si può dire che avessero torto: anzi, sarebbe stato il caso di allarmarsi e correr via già da un po'; ma questi zii, forse per il posto fuori mano in cui abitavano di solito, erano tipi un po' impacciati. Magari erano stati sulle spine fin'allora e non avevano osato dirlo.

Mio padre fa: – Se volete andare io non vi trattengo; soltanto riflettete bene se non vi conviene aspettare che la situazione si sia un po' chiarita, perché ora come ora non si sa a che pericoli si va incontro –. Insomma, un discorso pieno di buon senso.

Ma quelli: – No, no, grazie del pensiero, è stata proprio una bella chiacchierata, ma noi adesso togliamo il disturbo, – e altre melensaggini. Insomma, non che noi capissimo molto, ma loro non si davano proprio conto di nulla.

Questi zii erano tre, per essere precisi: una zia e due zii, tutti e tre lunghi lunghi e praticamente identici; non s'è mai capito bene, tra loro, chi fosse marito o fratello di chi, e neppure come esattamente fosse il rapporto di parentela con noialtri: a quei tempi molte erano le cose che restavano nel vago.

Cominciarono a partire uno per volta, gli zii, ognuno in una direzione diversa, verso il cielo nero, e ogni tanto, come per tenere i contatti, facevano: – O! O! – Tutto facevano a questa maniera: non erano buoni ad agire con un minimo di metodo.

Erano appena partiti tutti e tre, ed ecco i loro: – O! O! – già si odono da punti lontanissimi, mentre avrebbero dovuto essere ancora lì a pochi passi. E si sentono anche certe loro esclamazioni che non capivamo cosa volessero dire: – Ma qui c'è il vuoto! – Ma qui non si passa! – E perché non vieni qui? – E dove sei? – Ma salta! – E cosa salto, bravo! – Ma di qui si torna indietro! – Insomma, non ci si raccapezzava niente, tranne il fatto che tra noi e quegli zii s'andavano allargando delle enormi distanze.

Fu la zia, che era partita per ultima, a sbraitare un discorso più argomentato: – E io adesso resto sola in cima a un pezzo di questa roba qui che si è staccata...

E le voci dei due zii, fioche ormai per la lontananza, che ripetevano: – Scema... Scema... Scema...

Stavamo scrutando questo buio attraversato da voci, quando avvenne il cambiamento: il solo vero grande cambiamento cui mi sia capitato d'assistere, e in confronto al quale il resto è niente. Insomma: questa cosa che cominciò all'orizzonte, questa vibrazione che non somigliava a quelle che allora chiamavamo suoni, né a quelle dette adesso del «si tocca!», né ad altre; una specie d'ebollizione certamente lontana e che nello stesso tempo avvicinava ciò che era vicino; insomma: a un tratto tutto il buio fu buio in contrasto con qualcosaltro che non era buio, cioè la luce. Appena si poté fare un'analisi più attenta di come stavano le cose, risultò che c'erano: primo, il cielo buio come sempre ma che cominciava a non essere più tale; secondo, la superficie su cui stavamo, tutta gibbosa e incrostata, d'un ghiaccio sporco da far schifo che s'andava sciogliendo rapido perché la temperatura cresceva a tutt'andare; e, terzo, quella che poi avremmo chiamato una sorgente di luce, cioè una massa che stava diventando incandescente, separata da noi da un enorme spazio vuoto, e che sembrava provasse a uno a uno tutti i colori con sussulti cangianti. E poi ancora: lì in mezzo al cielo, tra noi e la massa incandescente, un paio d'isolotti illuminati e vaghi, che vorticavano nel vuoto con sopra i nostri zii o altra gente ridotti a ombre lontane che mandavano una specie di squittio.

Il più dunque era fatto: il cuore della nebula, contraendosi, aveva sviluppato calore e luce, e adesso c'era il Sole. Tutto il resto continuava a ruotare lì intorno diviso ed aggrumato in vari pezzi, Mercurio, Venere, la Terra, altri più in là, e chi c'era c'era. E oltre tutto, faceva un caldo da crepare.

Noi, lì a bocca aperta, alzati ritti, tranne il signor Hnw che si teneva ancora carponi, per prudenza. E mia nonna: giù a ridere. L'ho detto: nonna Bb'b era dell'epoca della luminosità diffusa, e per tutto questo tempo buio aveva continuato a parlare come se da un momento all'altro le cose dovessero tornare uguali a prima. Adesso le pareva venuto il suo momento; per un po' aveva voluto fare l'indifferente, la persona per cui tutto quel che succede è perfettamente naturale; poi, visto che non le badavamo, aveva preso a ridere, e ad apostrofarci: – Ignoranti... Ignorantoni...

Non era del tutto in buona fede, però; a meno che la memoria ormai non le servisse più tanto bene. Mio padre, per quel poco che capiva, le disse, sempre con cautela: – Mamma, so quel che voi intendete, però questo, via, pare proprio un fenomeno diverso... – E indicando al suolo: – Guardate giù! – esclamò.

Abbassammo gli occhi. La Terra che ci sosteneva era ancora un ammasso gelatinoso, diafano, che diventava sempre più sodo e opaco, a cominciare dal centro dove si stava addensando una specie di tuorlo; ma ancora i nostri sguardi riuscivano ad attraversarla da una parte all'altra, illuminata com'era da quel primo Sole. E in mezzo a questa specie di bolla trasparente vedevamo un'ombra che si muoveva come nuotando e volando. E nostra madre disse:

– Figlia mia!

Tutti riconoscemmo G'd(w)^n: spaventata forse dall'incendio del Sole, in uno scatto della sua anima ritrosa, era sprofondata dentro la materia della Terra in condensazione, e ora cercava d'aprirsi un varco nelle profondità del pianeta, e sembrava una farfalla d'oro e d'argento, ogni volta che passava in una zona ancora illuminata e diafana, oppure scompariva nella sfera d'ombra che s'allargava s'allargava.

– G'd(w)^n! G'd(w)^n! – gridavamo, e ci buttavamo al suolo cercando d'aprirci una via anche noi, per raggiungerla. Ma la superficie terrestre ormai si rapprendeva sempre di più in un guscio poroso, e mio fratello Rwzfs che era riuscito a cacciare la testa in una crepa per poco non finì strozzato.

Poi, non la si vide più: la zona solida occupava ormai tutta la parte centrale del pianeta. Mia sorella era rimasta di là e non seppi più nulla di lei, se era rimasta sepolta nelle profondità o se s'era messa in salvo dall'altra parte, finché non la incontrai, molto più tardi, a Canberra, nel 1912, sposata a un certo Sullivan, pensionato delle ferrovie, cambiata che quasi non la riconobbi.

Ci alzammo. Il signor Hnw e la nonna ci stavano davanti, piangendo, ed erano avvolti da fiamme azzurre e oro.

– Rwzfs! Perché hai dato fuoco alla nonna? – aveva già cominciato a sgridare nostro padre, ma voltandosi verso mio fratello lo vide anche lui avvolto di fiamme. E mio padre pure, e mia madre, e io, e tutti bruciavamo nel fuoco. Ossia: non bruciavamo, vi eravamo immersi come in un'abbagliante foresta, le fiamme si levavano alte sopra tutta la superficie del pianeta, era un'aria di fuoco in cui potevamo correre e librarci e volare, tanto che ci prese come una nuova allegria.

Le radiazioni del Sole stavano bruciando gli involucri dei

pianeti, fatti d'elio e idrogeno: in cielo, là dov'erano i nostri zii, vorticavano globi infuocati che si trascinavano dietro lunghe barbe d'oro e turchese, come stella cometa la sua coda.

Ritornò il buio. Credevamo ormai che tutto ciò che poteva accadere fosse accaduto, e – Ora sì che è la fine, – disse la nonna, – date retta ai vecchi –. Invece la Terra aveva appena dato uno dei suoi soliti giri. Era la notte. Tutto stava solo cominciando.

Un segno nello spazio

Situato nella zona esterna della Via Lattea, il Sole impiega circa 200 milioni d'anni a compiere una rivoluzione completa della Galassia.

Esatto, quel tempo là ci si impiega, mica meno, – *disse Qfwfq*, – io una volta passando feci un segno in un punto dello spazio, apposta per poterlo ritrovare duecento milioni d'anni dopo, quando saremmo ripassati di lì al prossimo giro. Un segno come? È difficile da dire perché se vi si dice segno voi pensate subito a un qualcosa che si distingua da un qualcosa, e lì non c'era niente che si distinguesse da niente; voi pensate subito a un segno marcato con qualche arnese oppure con le mani, che poi l'arnese o le mani si tolgono e il segno invece resta, ma a quel tempo arnesi non ce n'erano ancora, e nemmeno mani, o denti, o nasi, tutte cose che si ebbero poi in seguito, ma molto tempo dopo. La forma da dare al segno, voi dite non è un problema perché, qualsiasi forma abbia, un segno basta serva da segno, cioè sia diverso oppure uguale ad altri segni: anche qui voi fate presto a parlare, ma io a quell'epoca non avevo esempi a cui rifarmi per dire lo faccio uguale o lo faccio diverso, cose da copiare non ce n'erano, e neppure una linea, retta o curva che fosse, si sapeva cos'era, o un punto, o una sporgenza o rientranza. Avevo l'intenzione di fare un segno, questo sì, ossia avevo l'intenzione di considerare segno una qualsiasi cosa che mi venisse fatto di fare, quindi avendo io, in quel punto dello spazio e non in un altro, fatto qualcosa intendendo di fare un segno, risultò che ci avevo fatto un segno davvero.

Insomma, per essere il primo segno che si faceva nell'universo, o almeno nel circuito della Via Lattea, devo dire che venne molto bene. Visibile? Sì, bravo, e chi ce li aveva gli occhi per vedere, a quei tempi là? Niente era mai stato visto da niente, nemmeno si poneva la questione. Che fosse riconoscibile senza rischio di sbagliare, questo sì: per via che tutti gli altri punti dello spazio erano uguali e indistinguibili, e invece questo aveva il segno.

Così i pianeti proseguendo nel loro giro, e il Sistema solare nel suo, ben presto mi lasciai il segno alle spalle, separato da campi interminabili di spazio. E già non potevo trattenermi dal pensare a quando sarei tornato a incontrarlo, e a come l'avrei riconosciuto, e al piacere che mi avrebbe fatto, in quella distesa anonima, dopo centomila anni-luce percorsi senza imbattermi in nulla che mi fosse familiare, nulla per centinaia di secoli, per migliaia di millenni, ritornare ed eccolo lì al suo posto, tal quale come l'avevo lasciato, nudo e crudo, ma con quell'impronta – diciamo – inconfondibile che gli avevo data.

Lentamente la Via Lattea si voltava su di sé con le sue frange di costellazioni e di pianeti e di nubi, e il Sole insieme al resto, verso il bordo. In tutta quella giostra, solo il segno stava fermo, in un punto qualunque, al riparo da ogni orbita (per farlo, m'ero sporto un po' dai margini della Galassia, in modo che restasse al largo e il rotolare di tutti quei mondi non gli venisse addosso), in un punto qualunque che non era più qualunque dal momento che era l'unico punto che si fosse sicuri che era lì, e in rapporto al quale potevano essere definiti gli altri punti.

Ci pensavo giorno e notte; anzi, non potevo pensare ad altro; ossia, era quella la prima occasione che avevo di pensare qualcosa; o meglio, pensare qualcosa non era mai stato possibile, primo perché mancavano le cose da pensare, e secondo perché mancavano i segni per pensarle, ma dal momento che c'era quel segno, ne veniva la possibilità che chi pensasse, pensasse un segno, e quindi quello lì, nel senso che il segno era la cosa che si poteva pensare e anche il segno della cosa pensata cioè di se stesso.

Dunque la situazione era questa: il segno serviva a segnare un punto, ma nello stesso tempo segnava che lì c'era un segno, cosa ancora più importante perché di punti ce n'erano tanti mentre di segni c'era solo quello, e nello stesso tempo il segno era il mio segno, il segno di me, perché era l'unico segno che io avessi mai fatto e io ero l'unico che avesse mai fatto segni. Era come un nome, il nome di quel punto, e anche il mio nome che io avevo segnato su quel punto, insomma era l'unico nome disponibile per tutto ciò che richiedeva un nome.

Trasportato dai fianchi della Galassia il nostro mondo navigava al di là di spazi lontanissimi, e il segno era là dove l'avevo lasciato a segnare quel punto, e nello stesso tempo segnava me, me lo portavo dietro, mi abitava, mi possedeva interamente, s'intrometteva tra me e ogni cosa con cui potevo tentare un rapporto. Nell'attesa di tornare a incontrarlo, potevo cercare di derivarne altri segni e combinazioni di segni, serie di segni uguali e contrapposizioni di segni diversi. Ma erano passate già decine e decine di migliaia di millenni dal momento in cui l'avevo tracciato (anzi: dai pochi secondi in cui l'avevo buttato giù nel continuo movimento della Via Lattea) e proprio ora che avevo bisogno di tenerlo presente in ogni suo particolare (la minima incertezza su com'era fatto rendeva incerte le possibili distinzioni rispetto ad altri segni eventuali) mi resi conto che, nonostante lo avessi in mente nei suoi sommari contorni, nella sua apparenza generale, pure qualcosa me ne sfuggiva, insomma, se cercavo di scomporlo nei suoi vari elementi, non mi ricordavo più se tra un elemento e l'altro facesse cosí oppure cosà. Avrei dovuto averlo lì davanti, studiarlo, consultarlo, mentre invece era lontano ancora non sapevo quanto, perché l'avevo fatto proprio per sapere il tempo che ci avrei messo a ritrovarlo, e finché non l'avessi ritrovato non l'avrei saputo. Adesso però non era il motivo per cui l'avevo fatto che m'importava, ma il com'era fatto, e mi misi a fare ipotesi su questo come, e teorie secondo le quali un dato segno doveva essere necessariamente in un dato modo, o procedendo per esclusione provavo a eliminare tutti i tipi di segni meno probabili per arrivare a quello giusto, ma tutti questi segni immaginari svanivano con una labilità inarrestabile perché non c'era quel primo segno a far da termine di confronto. In questo arrovellarmi (mentre la Galassia continuava a rigirarsi insonne nel suo letto di morbido vuoto, come mossa dal prurito di tutti i mondi e gli atomi che s'accendevano e radiavano) capii che ormai avevo perso anche quella confusa nozione del mio segno, e riuscivo a concepire solo frammenti di segni intercambiabili tra loro, cioè segni interni al segno, e ogni cambiamento di questi segni all'interno del segno cambiava il segno in un segno completamente diverso, ossia m'ero bell'e dimenticato di come il mio segno fosse e non c'era verso di farmelo tornare in mente.

Mi disperai? No, la dimenticanza era seccante, ma non irrimediabile. Comunque andasse, sapevo che il segno era là ad aspettarmi, fermo e zitto. Ci sarei arrivato, l'avrei ritrovato e avrei potuto riprendere il filo dei miei ragionamenti. A occhio e croce, dovevamo essere arrivati già a metà percorso della nostra rivoluzione galattica: ci voleva pazienza, la seconda metà dà sempre l'impressione di passare più alla svelta. Adesso non dovevo pensare ad altro che al fatto che il segno c'era e che sarei ripassato di lì.

Un giorno dopo l'altro, ormai dovevo esser vicino. Fremevo d'impazienza perché mi potevo imbattere nel segno a ogni istante. Era qui, no, un po' più in là, ora conto fino a cento... Che non ci fosse più? Che l'avessi già passato? Niente. Il mio segno era rimasto chissà dove, indietro, completamente fuori mano rispetto all'orbita di rivoluzione del nostro sistema. Non avevo fatto i conti con le oscillazioni cui, specie a quei tempi, erano soggette le forze di gravità dei corpi celesti e che li portavano a disegnare orbite irregolari e frastagliate come fiori di dahlia. Per un centinaio di millenni mi arrovellai a rifare i miei calcoli: risultò che il nostro percorso toccava quel punto non ogni anno galattico ma soltanto ogni tre, cioè ogni seicento milioni di anni solari. Chi ha aspettato duecento milioni d'anni può aspettarne anche seicento; e io aspettai; la via era lunga ma non dovevo mica farla a piedi; in groppa alla Galassia percorrevo gli anni-luce caracollando sulle orbite planetarie e stellari come in sella a un cavallo dagli zoccoli sprizzanti scintille; ero in uno stato di esaltazione via via crescente; mi pareva d'avanzare alla conquista di ciò che per me solo contava, segno e regno e nome...

Feci il secondo giro, il terzo. C'ero. Lanciai un grido. In un punto che doveva proprio essere quel punto, al posto del mio segno c'era un fregaccio informe, un'abrasione dello spazio slabbrata e pesta. Avevo perduto tutto: il segno, il punto, quello che faceva sì che io – essendo quello di quel segno in quel punto – fossi io. Lo spazio, senza segno, era tornato una voragine di vuoto senza principio né fine, nauseante, in cui tutto – me compreso – si perdeva. (E non mi si venga a dire che, per segnare un punto, il mio segno o la cancellatura del mio segno facevano proprio lo stesso: la cancellatura era la negazione del segno, e quindi non segnava, cioè non serviva a distinguere un punto dai punti precedenti e seguenti.)

Lo sconforto mi prese e mi lasciai trascinare molti anni-luce come privo di sensi. Quando finalmente alzai gli occhi (nel frattempo, la vista era cominciata nel nostro mondo, e di conseguenza anche la vita), quando alzai gli occhi vidi lì quel che non mi sarei mai aspettato di vedere. Lo vidi, il segno, ma non quello, un segno simile, un segno senza dubbio copiato dal mio, ma che si capiva subito che non poteva essere il mio, tozzo com'era e sbadato e goffamente pretenzioso, una laida contraffazione di quello che io avevo inteso segnare in quel segno e la cui indicibile purezza solo ora riuscivo – per contrasto – a rievocare. Chi mi aveva giocato questo tiro? Non riuscivo a darmene ragione. Finalmente, una plurimillenaria catena d'induzioni mi portò alla soluzione: su di un altro sistema planetario che compiva la sua rivoluzione galattica innanzi a noi, stava un certo Kgwgk (il nome fu dedotto in seguito, nella più tarda epoca dei nomi), tipo dispettoso e divorato dall'invidia, che in un impulso vandalico aveva cancellato il mio segno e poi s'era messo con sguaiato artificio a tentare di marcarne un altro.

Era chiaro che quel segno non aveva niente da segnare se non l'intenzione di Kgwgk d'imitare il mio segno, per cui non c'era nemmeno da metterli a confronto. Ma in quel momento, il desiderio di non darla vinta al rivale fu in me più forte d'ogni altra considerazione: volli subito tracciare un nuovo segno nello spazio che fosse un vero segno e facesse morire dall'invidia Kgwgk. Erano pressapoco settecento milioni d'anni che non mi provavo più a fare un segno, dopo quel primo: mi ci rimisi di lena. Ma adesso le cose erano diverse, perché il mondo, come vi ho accennato, stava cominciando a dare un'immagine di sé, e in ogni cosa alla funzione cominciava a corrispondere una forma, e le forme d'allora si credeva che avessero un lungo avvenire davanti a sé (invece non era vero: vedi – per rifarci a un caso relativamente recente – i dinosauri), e quindi in questo mio nuovo segno era sensibile l'influenza di come allora si vedevano le cose, chiamiamolo lo stile, quel modo speciale che ogni cosa aveva di star lì in un certo modo. Devo dire che io ne fui proprio soddisfatto, e non mi veniva più da rimpiangere quel primo segno cancellato, perché questo mi pareva enormemente più bello.

Ma già nella durata di quell'anno galattico, si cominciò a

capire che fino a quel momento le forme del mondo erano state provvisorie e che sarebbero cambiate una per una. E a questa consapevolezza s'accompagnò un fastidio per le vecchie immagini, tale che non se ne poteva soffrire nemmeno il ricordo. E io cominciai a essere tormentato da un pensiero: avevo lasciato quel segno nello spazio, quel segno che m'era parso tanto bello e originale e adatto alla sua funzione, e che adesso appariva alla mia memoria in tutta la sua pretenziosità fuor di luogo, come segno innanzitutto d'un modo antiquato di concepire i segni, e della mia sciocca complicità con un assetto delle cose da cui avrei dovuto sapermi distaccare in tempo. Insomma, mi vergognavo di quel segno che continuava per i secoli a esser costeggiato dai mondi in volo, dando un ridicolo spettacolo di sé e di me e di quel nostro modo di vedere provvisorio. Delle vampe di rossore mi prendevano quando lo ricordavo (e lo ricordavo continuamente), che duravano intere ere geologiche: per nascondere la mia vergogna sprofondavo nei crateri dei vulcani, affondavo i denti per il rimorso nelle calotte delle glaciazioni che coprivano i continenti. Ero assillato dal pensiero che Kgwgk, precedendomi sempre nel periplo della Via Lattea, avrebbe visto il segno prima che io lo potessi cancellare, e da quel villanzone che era mi avrebbe deriso e fatto il verso, ripetendo per spregio il segno in rozze caricature per ogni angolo della sfera circumgalattica.

Invece stavolta la complicata orologeria astrale mi fu favorevole. La costellazione di Kgwgk non incontrò il segno, mentre il nostro sistema solare ripiombò lì puntualmente al termine del primo giro, così accosto che ebbi modo di cancellare tutto con la massima cura.

Adesso, di segni miei nello spazio non ce n'era neanche uno. Potevo mettermi a tracciarne un altro, ma ormai sapevo che i segni servono anche a giudicare chi li traccia, e che in un anno galattico i gusti e le idee hanno tempo di cambiare, e il modo di considerare quelli di prima dipende da quel che viene dopo, insomma avevo paura che quello che ora mi poteva apparire un segno perfetto, tra duecento o seicento milioni d'anni mi avrebbe fatto fare brutta figura. Invece, nel mio rimpianto, il primo segno, vandalicamente cancellato da Kgwgk, restava inattaccabile dal mutare dei tempi, come quello che era nato prima d'ogni inizio delle forme e che doveva contenere qualcosa che a tutte le forme sarebbe sopravvissuto, cioè il fatto di essere segno e basta.

Fare segni che non fossero quel segno non aveva più interesse per me; e quel segno l'avevo dimenticato ormai da miliardi d'anni. Così, non potendo fare dei veri segni ma volendo in qualche modo dar fastidio a Kgwgk, mi misi a fare dei segni finti, delle tacche nello spazio, dei buchi, delle macchie, trucchetti che solo un incompetente come Kgwgk poteva scambiare per segni. Eppure egli si accaniva a farli sparire sotto le sue cancellature (come constatavo nei giri susseguenti), con un impegno che doveva ben costargli fatica. (Io adesso seminavo di questi finti segni lo spazio, per vedere fino a che punto arrivava la sua dabbenaggine.)

Ora, osservando queste cancellature un giro dopo l'altro (le rivoluzioni della Galassia ormai erano diventate per me un navigare pigro e annoiato, senza scopo né attesa), mi resi conto d'una cosa: col passare degli anni galattici esse tendevano a sbiadire nello spazio, e sotto riaffiorava quello che avevo marcato io in quel punto, il mio – come dicevo – finto-segno. La scoperta, lungi dallo spiacermi, mi riaccese di speranza. Se le cancellature di Kgwgk si cancellavano, la prima che egli aveva fatta, là in quel punto, doveva essere ormai sparita, e il mio segno doveva esser tornato alla sua primitiva evidenza!

Così l'attesa tornò a dare ansia ai miei giorni. La Galassia si voltava come una frittata nella sua padella infuocata, essa stessa padella friggente e dorato pesceduovo; ed io friggevo con lei dall'impazienza.

Ma nel passare degli anni galattici lo spazio non era più

quella distesa uniformemente brulla e scialba. L'idea di marcare con dei segni i punti dove si passava, così com'era venuta a me e a Kgwgk, l'avevano avuta in tanti, sparsi su miliardi di pianeti d'altri sistemi solari, e continuamente m'imbattevo in uno di questi cosi, o un paio, o addirittura una dozzina, semplici ghirigori bidimensionali, oppure solidi a tre dimensioni (per esempio, dei poliedri), o anche roba messa su con più accuratezza, con la quarta dimensione e tutto. Fatto sta che arrivo al punto del mio segno, e ce ne trovo cinque, tutti lì. E il mio non son buono a riconoscerlo. È questo, no è quest'altro, macché, questo ha l'aria troppo moderna, eppure potrebbe anche essere il più antico, qui non riconosco la mia mano, figuriamoci se a me veniva in mente di farlo così... E intanto la Galassia scorreva nello spazio e si lasciava dietro segni vecchi e segni nuovi e io non avevo ritrovato il mio.

Non esagero dicendo che quelli che seguirono furono gli anni galattici peggiori che avessi mai vissuto. Andavo avanti a cercare, e nello spazio s'infittivano i segni, da tutti i mondi chiunque ne avesse la possibilità ormai non mancava di marcare la sua traccia nello spazio in qualche modo, e il nostro mondo pure, ogni volta che mi voltavo, lo trovavo più gremito, tanto che mondo e spazio parevano uno lo specchio dell'altro, l'uno e l'altro minutamente istoriati di geroglifici e ideogrammi, ognuno dei quali poteva essere un segno e non esserlo: una concrezione calcarea sul basalto, una cresta sollevata dal vento sulla sabbia rappresa del deserto, la disposizione degli occhi nelle piume del pavone (pian piano il vivere tra i segni aveva portato a vedere come segni le innumerevoli cose che prima stavano lì senza segnare altro che la propria presenza, le aveva trasformate nel segno di se stesse e sommate alla serie dei segni fatti apposta da chi voleva fare un segno), le striature del fuoco contro una parete di roccia scistosa, la quattrocentoventisettesima scanalatura – un po' di sbieco – della cornice del frontone d'un mausoleo, una se-

49

quenza di striature su un video durante una tempesta magnetica (la serie di segni si moltiplicava nella serie dei segni di segni, di segni ripetuti innumerevoli volte sempre uguali e sempre in qualche modo differenti perché al segno fatto apposta si sommava il segno capitato lì per caso), la gamba male inchiostrata della lettera R che in una copia d'un giornale della sera s'incontrava con una scoria filamentosa della carta, una tra le ottocentomila scrostature di un muro incatramato in un'intercapedine dei docks di Melbourne, la curva d'una statistica, una frenata sull'asfalto, un cromosoma... Ogni tanto, un soprassalto: È quello! e per un secondo ero sicuro d'aver ritrovato il mio segno, sulla terra o nello spazio non faceva differenza perché attraverso i segni s'era stabilita una continuità senza più un netto confine.

Nell'universo ormai non c'erano più un contenente e un contenuto, ma solo uno spessore generale di segni sovrapposti e agglutinati che occupava tutto il volume dello spazio, era una picchiettatura continua, minutissima, un reticolo di linee e graffi e rilievi e incisioni, l'universo era scarabocchiato da tutte le parti, lungo tutte le dimensioni. Non c'era più modo di fissare un punto di riferimento: la Galassia continuava a dar volta ma io non riuscivo più a contare i giri, qualsiasi punto poteva essere quello di partenza, qualsiasi segno accavallato agli altri poteva essere il mio, ma lo scoprirlo non sarebbe servito a niente, tanto era chiaro che indipendentemente dai segni lo spazio non esisteva e forse non era mai esistito.

Tutto in un punto

Attraverso i calcoli iniziati da Edwin P. Hubble sulla velocità d'allontanamento delle galassie, si può stabilire il momento in cui tutta la materia dell'universo era concentrata in un punto solo, prima di cominciare a espandersi nello spazio. La «grande esplosione» (big bang) da cui ha avuto origine l'universo sarebbe avvenuta circa 15 o 20 miliardi d'anni fa.

Si capisce che si stava tutti lì, – *fece il vecchio Qfwfq,* – e dove, altrimenti? Che ci potesse essere lo spazio, nessuno ancora lo sapeva. E il tempo, idem: cosa volete che ce ne facessimo, del tempo, stando lì pigiati come acciughe?
Ho detto «pigiati come acciughe» tanto per usare una immagine letteraria: in realtà non c'era spazio nemmeno per pigiarci. Ogni punto d'ognuno di noi coincideva con ogni punto di ognuno degli altri in un punto unico che era quello in cui stavamo tutti. Insomma, non ci davamo nemmeno fastidio, se non sotto l'aspetto del carattere, perché quando non c'è spazio, aver sempre tra i piedi un antipatico come il signor Pber^r Pber^d è la cosa più seccante.
Quanti eravamo? Eh, non ho mai potuto rendermene conto nemmeno approssimativamente. Per contarsi, ci si deve staccare almeno un pochino uno dall'altro, invece occupavamo tutti quello stesso punto. Al contrario di quel che può sembrare, non era una situazione che favorisse la socievolezza; so che per esempio in altre epoche tra vicini ci si frequenta; lì invece, per il fatto che vicini si era tutti, non ci si diceva neppure buongiorno o buonasera.

Ognuno finiva per aver rapporti solo con un ristretto numero di conoscenti. Quelli che ricordo io sono soprattutto la signora $Ph(i)Nk_0$, il suo amico De XuaeauX, una famiglia di immigrati, certi Z'zu, e il signor Pber^t Pber^d che ho già nominato. C'era anche una donna delle pulizie – «addetta alla manutenzione», veniva chiamata –, una sola per tutto l'universo, dato l'ambiente cosí piccolo. A dire il vero, non aveva niente da fare tutto il giorno, nemmeno spolverare – dentro un punto non può entrarci neanche un granello di polvere –, e si sfogava in continui pettegolezzi e piagnistei.

Già con questi che vi ho detto si sarebbe stati in soprannumero; aggiungi poi la roba che dovevamo tenere lì ammucchiata: tutto il materiale che sarebbe poi servito a formare l'universo, smontato e concentrato in maniera che non riuscivi a riconoscere quel che in seguito sarebbe andato a far parte dell'astronomia (come la nebulosa d'Andromeda) da quel che era destinato alla geografia (per esempio i Vosgi) o alla chimica (come certi isotopi del berillio). In piú si urtava sempre nelle masserizie della famiglia Z'zu, brande, materassi, ceste; questi Z'zu, se non si stava attenti, con la scusa che erano una famiglia numerosa, facevano come se al mondo ci fossero solo loro: pretendevano perfino di appendere delle corde attraverso il punto per stendere la biancheria.

Anche gli altri però avevano i loro torti verso gli Z'zu, a cominciare da quella definizione di «immigrati», basata sulla pretesa che, mentre gli altri erano lì da prima, loro fossero venuti dopo. Che questo fosse un pregiudizio senza fondamento, mi par chiaro, dato che non esisteva né un prima né un dopo né un altrove da cui immigrare, ma c'era chi sosteneva che il concetto di «immigrato» poteva esser inteso allo stato puro, cioè indipendentemente dallo spazio e dal tempo.

Era una mentalità, diciamolo, ristretta, quella che avevamo allora, meschina. Colpa dell'ambiente in cui ci eravamo formati. Una mentalità che è rimasta in fondo a tutti noi, badate: continua a saltar fuori ancor oggi, se per caso due di noi s'incontrano – alla fermata d'un autobus, in un cinema, in un congresso internazionale di dentisti –, e si mettono a ricordare di allora. Ci salutiamo – alle volte è qualcuno che riconosce me, alle volte sono io a riconoscere qualcuno –, e subito prendiamo a domandarci dell'uno e dell'altro (anche se ognuno ricorda solo qualcuno di quelli ricordati dagli altri), e così si riattacca con le beghe di un tempo, le malignità, le denigrazioni. Finché non si nomina la signora Ph(i)Nk$_o$ – tutti i discorsi vanno sempre a finir lì –, e allora di colpo le meschinità vengono lasciate da parte, e ci si sente sollevati come in una commozione beata e generosa. La signora Ph(i)Nk$_o$, la sola che nessuno di noi ha dimenticato e che tutti rimpiangiamo. Dove è finita? Da tempo ho smesso di cercarla: la signora Ph(i)Nk$_o$, il suo seno, i suoi fianchi, la sua vestaglia arancione, non la incontreremo più, né in questo sistema di galassie né in un altro.

Sia ben chiaro, a me la teoria che l'universo, dopo aver raggiunto un estremo di rarefazione, tornerà a condensarsi, e che quindi ci toccherà di ritrovarci in quel punto per poi ricominciare, non mi ha mai persuaso. Eppure tanti di noi non fan conto che su quello, continuano a far progetti per quando si sarà di nuovo tutti lì. Il mese scorso, entro al caffè qui all'angolo e chi vedo? Il signor Pber^r Pber^d. – Che fa di bello? Come mai da queste parti? – Apprendo che ha una rappresentanza di materie plastiche, a Pavia. È rimasto tal quale, col suo dente d'argento, e le bretelle a fiori. – Quando si tornerà là, – mi dice, sottovoce, – la cosa cui bisogna stare attenti è che stavolta certa gente rimanga fuori... Ci siamo capiti: quegli Z'zu...

Avrei voluto rispondergli che questo discorso l'ho sentito già fare a più d'uno di noi, che aggiungeva: «ci siamo capiti... il signor Pber^r Pber^d...»

Per non lasciarmi portare su questa china, m'affrettai a dire: – E la signora Ph(i)Nk$_o$, crede che la ritroveremo?

– Ah, sì... Lei sì... – fece lui, imporporandosi.

Per tutti noi la speranza di ritornare nel punto è soprattutto quella di trovarci ancora insieme alla signora Ph (i)Nk$_o$. (È così anche per me che non ci credo). E in quel caffè, come succede sempre, ci mettemmo a rievocare lei, commossi, e anche l'antipatia del signor Pber^c Pber^d sbiadiva, davanti a quel ricordo.

Il gran segreto della signora Ph(i)Nk$_o$ è che non ha mai provocato gelosie tra noi. E neppure pettegolezzi. Che andasse a letto col suo amico, il signor De XuaeauX, era noto. Ma in un punto, se c'è un letto, occupa tutto il punto, quindi non si tratta di *andare* a letto ma di *esserci*, perché chiunque è nel punto è anche nel letto. Di conseguenza, era inevitabile che lei fosse a letto anche con ognuno di noi. Fosse stata un'altra persona, chissà quante cose le si sarebbero dette dietro. La donna delle pulizie era sempre lei a dare la stura alle maldicenze, e gli altri non si facevano pregare a imitarla. Degli Z'zu, tanto per cambiare, le cose orribili che ci toccava sentire: padre figlie fratelli sorelle madre zie, non ci si fermava davanti a nessuna losca insinuazione. Con lei invece era diverso: la felicità che mi veniva da lei era insieme quella di celarmi io puntiforme in lei, e quella di proteggere lei puntiforme in me, era contemplazione viziosa (data la promiscuità del convergere puntiforme di tutti in lei) e insieme casta (data l'impenetrabilità puntiforme di lei). Insomma, cosa potevo chiedere di più?

E tutto questo, così come era vero per me, valeva pure per ciascuno degli altri. E per lei: conteneva ed era contenuta con pari gioia, e ci accoglieva e amava e abitava tutti ugualmente.

Si stava così bene tutti insieme, così bene, che qualcosa di straordinario doveva pur accadere. Bastò che a un certo momento lei dicesse: – Ragazzi, avessi un po' di spazio, come mi piacerebbe farvi le tagliatelle! – E in quel momento tutti pensammo allo spazio che avrebbero occupato le tonde braccia di lei muovendosi avanti e indietro con il mattarello sulla sfoglia di pasta, il petto di lei calando sul gran mucchio di farina e uova che ingombrava il largo tagliere mentre le sue braccia impastavano impastavano, bianche e unte d'olio fin sopra al gomito; pensammo allo spazio che avrebbero occupato la farina, e il grano per fare la farina, e i campi per coltivare il grano, e le montagne da cui scendeva l'acqua per irrigare i campi, e i pascoli per le mandrie di vitelli che avrebbero dato la carne per il sugo; allo spazio che ci sarebbe voluto perché il Sole arrivasse con i suoi raggi a maturare il grano; allo spazio perché dalle nubi di gas stellari il Sole si condensasse e bruciasse; alle quantità di stelle e galassie e ammassi galattici in fuga nello spazio che ci sarebbero volute per tener sospesa ogni galassia ogni nebula ogni sole ogni pianeta, e nello stesso tempo del pensarlo questo spazio inarrestabilmente si formava, nello stesso tempo in cui la signora $Ph(i)Nk_0$ pronunciava quelle parole: – ...le tagliatelle, ve', ragazzi! – il punto che conteneva lei e noi tutti s'espandeva in una raggera di distanze d'anni-luce e secoli-luce e miliardi di millenni-luce, e noi sbattuti ai quattro angoli dell'universo (il signor $Pber^c$ $Pber^d$ fino a Pavia), e lei dissolta in non so quale specie d'energia luce calore, lei signora $Ph(i)Nk_0$, quella che in mezzo al chiuso nostro mondo meschino era stata capace d'uno slancio generoso, il primo, «Ragazzi, che tagliatelle vi farei mangiare!», un vero slancio d'amore generale, dando inizio nello stesso momento al concetto di spazio, e allo spazio propriamente detto, e al tempo, e alla gravitazione universale, e all'universo gravitante, rendendo possibili miliardi di miliardi di soli, e di pianeti, e di campi di grano, e di signore $Ph(i)Nk_0$ sparse per i continenti dei pianeti che impastano con le braccia unte e generose infarinate, e lei da quel momento perduta, e noi a rimpiangerla.

Senza colori

Prima di formarsi la sua atmosfera e i suoi oceani, la Terra doveva avere l'aspetto d'una palla grigia roteante nello spazio. Come ora è la Luna: là dove i raggi ultravioletti irradiati dal Sole arrivano senza schermi, i colori sono distrutti; per questo le rocce della superficie lunare, anziché colorate come quelle terrestri, sono d'un grigio morto e uniforme. Se la Terra mostra un volto multicolore è grazie all'atmosfera, che filtra quella luce micidiale.

Un po' monotono, – *confermò Qfwfq,* – però riposante. Andavo per miglia e miglia velocissimo come si va quando non c'è aria di mezzo, e non vedevo che grigio su grigio. Niente contrasti netti: il bianco proprio bianco, se c'era, era nel centro del Sole e non si poteva neppure avvicinargli lo sguardo; di nero proprio nero non c'era neanche il buio della notte, dato il gran numero di stelle sempre in vista. Mi si aprivano orizzonti non interrotti dalle catene montuose che accennavano appena a spuntare, grige, intorno a grige pianure di pietra; e per quanto attraversassi continenti e continenti non arrivavo mai a una riva, perché oceani e laghi e fiumi giacevano chissadove sottoterra.

Gli incontri a quei tempi erano rari: eravamo così in pochi! Con l'ultravioletto per poter resistere bisognava non aver troppe pretese. Soprattutto la mancanza d'atmosfera si faceva sentire in molti modi, vedi per esempio le meteore: grandinavano da tutti i punti dello spazio, perché mancava la stratosfera su cui adesso picchiano come su una tettoia disintegrandosi lì. Poi, il silenzio: avevi un bel gridare! Senz'aria che vibrasse, eravamo tutti muti e sordi. E la temperatura? Non c'era niente intorno che conservasse il calore del Sole: con la notte veniva un freddo da restarci duri. Fortunatamente la crosta terrestre si scaldava da sotto, con tutti quei minerali fusi che andavano comprimendosi nelle viscere del pianeta; le notti erano corte (come i giorni: la terra girava su se stessa più veloce); io dormivo abbracciato a una roccia calda calda; il freddo secco tutt'intorno era un piacere. Insomma, quanto a clima, se devo essere sincero, io personalmente non mi trovavo troppo male.

Tra tante cose indispensabili che ci mancavano, capirete che l'assenza dei colori era il problema minore: anche avessimo saputo che esistevano, l'avremmo considerato un lusso fuori luogo. Unico inconveniente, lo sforzo della vista, quando c'era da cercare qualcosa o qualcuno, perché tutto essendo ugualmente incolore non c'era forma che si distinguesse chiaramente da quel che le stava dietro e intorno. A malapena si riusciva a individuare ciò che si muoveva: il rotolare d'un frammento di meteorite, o il serpentino aprirsi d'una voragine sismica, o lo schizzare d'un lapillo.

Quel giorno correvo per un anfiteatro di rocce porose come spugne, tutto traforato d'archi dietro i quali s'aprivano altri archi: insomma un luogo accidentato in cui l'assenza di colore si screziava di sfumature d'ombre concave. E tra i pilastri di questi archi incolori vidi come un lampo incolore correre veloce, scomparire e riapparire più in là: due bagliori appaiati che apparivano e sparivano di scatto; ancora non m'ero reso conto di cos'erano e già correvo innamorato inseguendo gli occhi di Ayl.

M'inoltrai in un deserto di sabbia: procedevo affondando tra dune sempre in qualche modo diverse eppure quasi uguali. A seconda del punto da cui le si guardava, le creste delle dune parevano rilievi di corpi coricati. Là pareva modellarsi un braccio richiuso su di un tenero seno, col palmo teso sotto una guancia reclinata; più in qua pareva sporgere un gio-

62

vane piede dall'alluce snello. Fermo ad osservare quelle possibili analogie, lasciai trascorrere un buon minuto prima di rendermi conto che sotto i miei occhi non avevo un crinale di sabbia, ma l'oggetto del mio inseguimento.

Giaceva, incolore, vinta dal sonno, sulla sabbia incolore. Mi sedetti vicino. Era la stagione – ora lo so – in cui l'era ultravioletta volgeva al termine, per il nostro pianeta; un modo d'essere che stava per finire dispiegava il suo estremo culmine di bellezza. Nulla mai di così bello aveva corso la terra, come l'essere che avevo sotto gli occhi.

Ayl aperse gli occhi. Mi vide. Dapprima credo che non mi distinguesse – come era successo a me – dal resto di quel mondo sabbioso; poi che riconoscesse in me la presenza sconosciuta che l'aveva inseguita e ne provasse spavento. Ma alla fine sembrò rendersi conto della nostra comune sostanza ed ebbe un battito tra timido e ridente dello sguardo che mi fece lanciare dalla felicità un guaito silenzioso.

Mi misi a conversare, tutto a gesti. – Sabbia. Non sabbia, – dissi, indicando prima intorno e poi noi due.

Fece segno di sì, che aveva capito.

– Roccia. Non roccia, – feci, tanto per continuare a svolgere quel tema. Era un'epoca in cui non disponevamo di molti concetti: designare per esempio quel che eravamo noi due, in quel che avevamo di comune e di diverso, non era un'impresa facile.

– Io. Tu non io, – provai a spiegare a gesti.

Ne fu contrariata.

– Sì. Tu come io, ma così così, – corressi.

Era un po' rassicurata, ma diffidava ancora.

– Io, tu, insieme, corri corri, – provai a dire.

Scoppiò in una risata e scappò via.

Correvamo sulla cresta di vulcani. Nel grigiore meridiano il volo dei capelli di Ayl e le lingue di fuoco che s'alzavano dai crateri si confondevano in un battito d'ali pallido ed identico.

– Fuoco. Capelli, – le dissi. – Fuoco uguale capelli.
Pareva convinta.

– Neh che è bello? – domandai.

– Bello, – rispose.

Il Sole già calava in un tramonto biancastro. Su un dirupo di pietre opache, i raggi battendo di sbieco ne facevano brillare alcune.

– Pietre là mica uguale. Neh che è bello, – dissi.

– No, – rispose e voltò lo sguardo.

– Pietre là neh che è bello, – insistetti, indicando il grigio lucente delle pietre.

– No –. Si rifiutava di guardare.

– A te, io, pietre là! – le offersi.

– No, pietre qua! – rispose Ayl e afferrò una manciata di quelle opache. Ma io ero già corso avanti.

Tornai con le pietre lucenti che avevo raccolto, ma dovetti forzarla perché le prendesse.

– Bello! – cercavo di convincerla.

– No! – protestava, ma poi le guardò; lontane ormai da quel riflesso solare, erano pietre opache come le altre; e solo allora disse: – Bello!

Scese la notte, la prima che io passassi abbracciato non a una roccia, e per questo forse mi sembrò crudelmente più breve. Se la luce tendeva ogni momento a cancellare Ayl, a metterne in dubbio la presenza, il buio mi ridava la certezza che lei c'era.

Ritornò il giorno a tingere di grigio la Terra; e il mio sguardo girava intorno e non la vedeva. Lanciai un muto grido: – Ayl! Perché sei scappata? – Ma lei era davanti a me e mi cercava lei pure e non mi scorgeva e silenziosamente gridò: – Qfwfq! Dove sei? – Finché la nostra vista non si riabituò a scrutare in quella luminosità caliginosa e a riconoscere il rilievo d'un sopracciglio, d'un gomito, d'un fianco.

Allora avrei voluto colmare Ayl di regali, ma nulla mi pareva degno di lei. Cercavo tutto quel che si distaccasse in

64

qualche modo dall'uniforme superficie del mondo, tutto quel che marcasse una screziatura, una macchia. Ma dovetti presto rendermi conto che Ayl e io avevamo gusti differenti, se non addirittura opposti: io cercavo un mondo diverso al di là della patina scialba che imprigionava le cose, e ne spiavo ogni segno, ogni spiraglio (in verità qualcosa stava cominciando a cambiare: in certi punti l'assenza di colore pareva percorsa da barlumi cangianti); invece Ayl era un'abitante felice del silenzio che regna là dove ogni vibrazione è esclusa; per lei tutto quel che accennava a rompere un'assoluta neutralità visiva era una stonatura stridente; per lei là dove il grigio aveva spento ogni sia pur remoto desiderio d'essere qualcos'altro che grigio, solo là cominciava la bellezza.

Come potevamo intenderci? Nessuna cosa del mondo come si presentava al nostro sguardo bastava a esprimere quel che sentivamo l'uno per l'altra, ma mentre io smaniavo di strappare dalle cose vibrazioni sconosciute, lei voleva ridurre ogni cosa all'al di là incolore della loro ultima sostanza.

Un meteorite attraversò il cielo, con una traiettoria che passò davanti al Sole; il suo involucro fluido e infuocato per un attimo fece da filtro ai raggi solari, e d'improvviso il mondo fu immerso in una luce mai vista. Abissi paonazzi s'aprivano al piede di rupi arancione, e le mie mani violette indicavano il bolide verde fiammeggiante mentre un pensiero per cui non esistevano ancora parole cercava di prorompere dalla mia gola:

– Questo per te! Da me questo per te ora sì sì che è bello!

E intanto mi giravo di scatto su me stesso ansioso di vedere in quale nuovo modo risplendesse Ayl nella generale trasfigurazione: e non la vidi, come se in quel repentino frantumarsi della vernice incolore lei avesse trovato modo di nascondersi e sgusciar via tra le fenditure del mosaico.

– Ayl! Non spaventarti, Ayl! Mostrati e guarda!

Ma già l'arco del meteorite s'era allontanato dal Sole, e la Terra era riconquistata dal grigio di sempre, ancor più grigio ai miei occhi abbagliati, e indistinto, e opaco, e Ayl non c'era.

Era scomparsa davvero. La cercai per un lungo pulsare di giorni e di notti. Era l'epoca in cui il mondo stava provando le forme che avrebbe preso in seguito: le provava col materiale che aveva disponibile, anche se non era il più adatto, tanto restava inteso che non c'era nulla di definitivo. Alberi di lava color fumo protendevano contorte ramificazioni da cui pendevano sottili foglie d'ardesia. Farfalle di cenere sorvolando prati d'argilla si libravano sopra opache margherite di cristallo. Ayl poteva essere l'ombra incolore che si dondolava da un ramo dell'incolore foresta, o che si chinava a cogliere sotto grigi cespugli grigi funghi. Cento volte credetti d'averla scorta e cento volte d'averla riperduta. Dalle lande deserte passai a contrade abitate. In quel tempo, nel presagio dei mutamenti che sarebbero avvenuti, oscuri costruttori modellavano immagini premature d'un remoto possibile futuro. Attraversai una metropoli nuragica tutta torri di pietra; oltrepassai una montagna traforata di cunicoli come una tebaide; giunsi a un porto che si apriva sopra un mare di fango; entrai in un giardino in cui da aiole di sabbia si levavano al cielo alti menhir.

La grigia pietra dei menhir era percorsa da un disegno di appena accennate venature grige. Mi fermai. In mezzo a questo parco, Ayl giocava con le sue compagne. Lanciavano in alto una palla di quarzo e la riprendevano al volo.

La palla a un tiro troppo forte volò a portata delle mie mani, e me ne impadronii. Le compagne si sparpagliarono a cercarla; io, quando vidi Ayl sola, lanciai la palla in aria e la ripresi al volo. Ayl accorse; io, nascondendomi, lanciavo la palla di quarzo attirando Ayl in luoghi sempre più lontani. Poi mi mostrai; lei mi sgridò; poi rise; e così andavamo giocando per regioni sconosciute.

A quel tempo gli strati del pianeta stavano faticosamente cercando un equilibrio a colpi di terremoti. Ogni tanto una scossa sollevava il suolo, e tra Ayl e me s'aprivano crepacci attraverso i quali noi continuavamo a lanciarci la palla di quarzo. Su da queste voragini, gli elementi compressi nel cuore della Terra trovavano la via per sprigionarsi, e ora ne vedevamo emergere speroni di roccia, ora esalare fluide nubi, ora zampillare getti ribollenti.

Sempre giocando con Ayl, m'accorsi che uno spessore gassoso s'era andato estendendo sulla crosta terrestre, come una bassa nebbia che saliva man mano. Or è poco ci arrivava alle caviglie, e adesso già c'eravamo dentro fino ai ginocchi, poi ai fianchi... Negli occhi di Ayl a quella vista cresceva un'ombra d'incertezza e di timore; io non volevo allarmarla e perciò come niente fosse continuavo il nostro gioco, ma anch'io stavo in ansia.

Era una storia che non s'era mai vista: un'immensa bolla fluida si andava gonfiando intorno alla Terra e la avviluppava tutta; presto ci avrebbe coperto dalla testa ai piedi con chissà quali conseguenze.

Lanciai la palla ad Ayl al di là d'una fenditura che s'apriva nel suolo, ma il tiro riuscì inesplicabilmente più corto di quel che era nelle mie intenzioni, la palla cadde nel crepaccio, ecco: era diventata a un tratto pesantissima, no: era stata la voragine a spalancarsi enormemente, e adesso Ayl era lontana lontana, oltre una distesa liquida e ondosa che s'era aperta tra noi e spumeggiava contro la riva di rocce, e io mi protendevo da questa riva gridando: – Ayl! Ayl! – e la mia voce, il suono, proprio il suono della mia voce, si propagava forte come mai l'avevo immaginato, e le onde rumoreggiavano più forte della mia voce. Insomma: non ci si capiva più niente di niente.

Mi portai le mani alle orecchie assordate, e in quel momento sentii pure il bisogno di tapparmi naso e bocca per non aspirare la forte miscela d'ossigeno e azoto che mi circondava, ma più forte di tutti fu l'impulso a coprirmi gli occhi che mi pareva scoppiassero.

La massa liquida che si stendeva ai miei piedi era a un

tratto diventata d'un colore nuovo, che m'accecava, ed io esplosi in un urlo inarticolato che di lì in poi doveva assumere un significato ben preciso: – Ayl! Il mare è azzurro!

Il grande cambiamento da tanto tempo atteso era avvenuto. Sulla Terra adesso c'era l'aria e l'acqua. E sopra quel mare azzurro appena nato, il Sole stava tramontando colorato anche lui, e d'un colore assolutamente diverso e ancor più violento. Tanto che io sentivo il bisogno di continuare le mie grida insensate, tipo: – Che rosso è il Sole, Ayl! Ayl!, che rosso!

Calò la notte. Anche il buio era diverso. Io correvo cercando Ayl, emettendo suoni senza capo né coda per esprimere quel che vedevo: – Le stelle sono gialle! Ayl! Ayl!

Non la ritrovai né quella notte né durante i giorni e le notti che seguirono. Intorno, il mondo sciorinava colori sempre nuovi, nuvole rosa s'addensavano in cumuli violetti che scaricavano fulmini dorati; dopo i temporali lunghi arcobaleni annunciavano le tinte che ancora non s'erano viste, in tutte le possibili combinazioni. E già la clorofilla cominciava la sua avanzata: muschi e felci verdeggiavano nelle valli percorse da torrenti. Era questo finalmente lo scenario degno della bellezza d'Ayl; ma lei non c'era! E senza di lei tutto questo sfarzo multicolore mi pareva inutile, sprecato.

Ripercorrevo la Terra, rivedevo le cose che avevo conosciuto in grigio, ogni volta sbalordito allo scoprire che il fuoco era rosso, il ghiaccio bianco, il cielo celeste, la terra bruna, e che i rubini erano color rubino, e i topazi color topazio, e color smeraldo gli smeraldi. E Ayl? Non riuscivo con tutto il mio fantasticare a immaginarmi come si sarebbe presentata al mio sguardo.

Ritrovai il giardino dei menhir, ora verdeggiante d'alberi ed erbe. In vasche zampillanti nuotavano pesci rossi e gialli e azzurri. Le compagne di Ayl saltavano ancora sui prati, lanciandosi la palla iridescente: ma com'erano cambiate! Una era bionda con la pelle bianca, una bruna con la pelle olivastra, una castana con la pelle rosa, una rossina tutta picchiettata d'innumerevoli incantevoli lentiggini.

– E Ayl? – gridai. – E Ayl? Dov'è? Com'è? Perché non è con voi?

Le labbra delle compagne erano rosse, e bianchi i denti e rosee le lingue e le gengive. Roseo era pure il culmine dei seni. Gli occhi erano celeste acquamarina, nero amarena, nocciola ed amaranto.

– Ma... Ayl... – rispondevano. – Non c'è più... Non si sa... – e riprendevano a giocare.

Io cercavo d'immaginare la capigliatura e la pelle di Ayl in tutti i possibili colori e non ci riuscivo, e così cercandola esploravo la superficie del globo.

«Se qua sopra non c'è, – pensai, – vorrà dire che è sotto!» e al primo terremoto che mi capitò mi slanciai in una voragine, giù giù dentro le viscere della Terra.

– Ayl! Ayl! – chiamavo nel buio, – Ayl! Vieni a vedere com'è bello fuori!

Sgolato, tacqui. E in quel momento mi rispose la voce di Ayl, sommessa, queta. – Sst. Sono qui. Perché gridi tanto? Cosa vuoi?

Non si vedeva niente. – Ayl! Esci con me! Sapessi: fuori...

– Non mi piace, fuori.

– Ma tu, prima...

– Prima era prima. Ora è diverso. È venuto tutto quel pasticcio.

Mentii: – Ma no, è stato un cambiamento di luce momentaneo. Come quella volta del meteorite! Ora è finito. Tutto è tornato come prima. Vieni, non temere –. Se esce, pensavo, passato il primo momento di confusione, s'abituerà ai colori, sarà contenta e capirà che ho mentito a fin di bene.

– Dici davvero?

– Perché dovrei contarti delle storie? Vieni, lascia che ti porti fuori.

– No. Va' avanti tu. Io ti seguo.

– Ma io sono impaziente di rivederti.

– Mi rivedrai solo come piace a me. Va' avanti e non voltarti.

Le scosse telluriche ci aprivano la strada. Gli strati di roccia s'aprivano a ventaglio e noi avanzavamo negli interstizi. Sentivo alle mie spalle il passo leggero di Ayl. Ancora un terremoto ed eravamo fuori. Correvo tra gradini di basalto e di granito che si sfogliavano come pagine d'un libro: già si squarciava in fondo la breccia che ci avrebbe ricondotto all'aria aperta, già appariva fuori dello spiraglio la crosta della Terra soleggiata e verde, già la luce si faceva largo per venirci incontro. Ecco: ora avrei visto accendersi i colori anche sul viso di Ayl... Mi voltai a guardarla.

Udii il grido di lei che si ritraeva verso il buio, i miei occhi ancora abbagliati dalla luce di prima non distinguevano nulla, poi il tuono del terremoto sovrastò tutto, e una parete di roccia s'innalzò di colpo, verticale, separandoci.

– Ayl! Dove sei? Cerca di passare da questa parte, presto, prima che la roccia si assesti! – e correvo lungo la parete cercando un varco, ma la superficie liscia e grigia s'estendeva compatta, senza una fessura.

Un'enorme catena di montagne s'era formata in quel punto. Mentre io ero stato proiettato fuori, all'aperto, Ayl era rimasta dietro la parete di roccia, chiusa nelle viscere della Terra.

– Ayl! Dove sei, Ayl? Perché non sei di qua? – e giravo lo sguardo sul paesaggio che s'allargava ai miei piedi. Allora, a un tratto, quei prati verde-pisello su cui stavano sbocciando i primi papaveri scarlatti, quei campi giallo-canarino che striavano le fulve colline digradanti verso un mare pieno di lucichii turchini, tutto m'apparve così insulso, così banale, così falso, così in contrasto con la persona di Ayl, con il mondo di Ayl, con l'idea di bellezza di Ayl, che compresi come il suo posto non avrebbe mai più potuto essere *di qua*. E mi resi conto con dolore e spavento che io ero rimasto *di qua*, che non sarei mai più potuto sfuggire a quegli scintillii dorati e argentei, a quelle nuvolette che da celeste si cangiavano in rosate, a quelle verdi foglioline che ingiallivano ogni autunno, e che il mondo perfetto di Ayl era perduto per sempre, tanto che non sapevo più neppure immaginarmelo, e non restava più nulla che potesse ricordarmelo nemmeno di lontano, nulla se non quella fredda parete di pietra grigia.

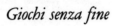

Giochi senza fine

Se le galassie s'allontanano, la rarefazione dell'universo è compensata dalla formazione di nuove galassie composte di materia che si crea ex novo. Per mantenere stabile la densità media dell'universo, basta che si crei un atomo d'idrogeno ogni 250 milioni d'anni per 40 centimetri cubi di spazio in espansione. (Questa teoria, detta dello «stato stazionario», è stata contrapposta all'altra ipotesi che l'universo abbia avuto origine in un momento preciso, da una gigantesca esplosione).

Ero un bambino e già me n'ero accorto, – *raccontò Qfwfq.* – Gli atomi d'idrogeno li conoscevo uno per uno, e quando ne saltava fuori uno nuovo lo capivo subito. Ai tempi della mia infanzia, per giocare, in tutto l'universo non avevamo altro che atomi d'idrogeno, e non facevamo che giocarci, io e un altro bambino della mia età, che si chiamava Pfwfp.

Com'era il nostro gioco? È presto detto. Lo spazio essendo curvo, attorno alla sua curva facevamo correre gli atomi, come delle biglie, e chi mandava più avanti il suo atomo vinceva. Nel dare il colpo all'atomo bisognava calcolar bene gli effetti, le traiettorie, saper sfruttare i campi magnetici e i campi di gravitazione, se no la pallina finiva fuori pista ed era eliminata dalla gara.

Le regole erano le solite: con un atomo potevi toccare un altro atomo tuo e portarlo avanti, oppure togliere di mezzo un atomo avversario. Naturalmente si badava a non dar botte troppo forti perché dal cozzo di due atomi d'idrogeno, tic!

se ne poteva formare uno di deuterio, o addirittura d'elio, e quelli erano atomi perduti, per la partita: non solo, ma se uno dei due era del tuo avversario, dovevi pure rimborsarglielo.

Sapete com'è fatta la curvatura dello spazio: una pallina gira gira e a un bel momento prende giù per il pendio e s'allontana e non l'acchiappi più. Perciò, andando avanti a giocare, il numero degli atomi in gara diminuiva continuamente, e il primo di noi due a restarne senza aveva perso la partita.

Ed ecco che, proprio al momento decisivo, cominciavano a saltar fuori atomi nuovi. Tra l'atomo nuovo e quello usato si sa che c'è una bella differenza: i nuovi erano lustri, chiari, freschi freschi, umidi come di rugiada. Stabilimmo delle nuove regole: che uno dei nuovi valeva quanto tre dei vecchi; che i nuovi appena si formavano dovevano essere ripartiti tra noi due alla pari.

Così il nostro gioco non finiva mai, e neppure ci veniva a noia, perché ogni volta che ci ritrovavamo con atomi nuovi ci pareva che anche il gioco fosse nuovo e quella fosse la nostra prima partita.

Poi, con l'andar del tempo, dài e dài, il gioco si fece più fiacco. Atomi nuovi non se ne vedevano più: gli atomi perduti non venivano più sostituiti, i nostri tiri diventavano deboli, esitanti, per paura di perdere i pochi pezzi che restavano in gara, in quello spazio liscio e brullo.

Anche Pfwfp era cambiato: si distraeva, andava in giro, non era lì quando toccava a lui tirare, io lo chiamavo e lui non rispondeva, ricompariva dopo una mezz'ora.

– Ma dài, tocca a te, che fai, non giochi piú?
– Sì che gioco, non scocciare, adesso tiro.
– E be', se te ne vai per conto tuo, sospendiamo la partita!
– Uffa, fai tante storie perché perdi.

Era vero: io ero rimasto senza atomi, mentre Pfwfp, chissà come, ne aveva sempre uno di scorta. Se non saltavano fuori atomi nuovi da poterceli dividere, io non avevo più speranza di rimontare lo svantaggio.

Appena Pfwfp s'allontanò di nuovo, lo seguii in punta di piedi. Finché era in mia presenza pareva girellare distratto, fischiettando: ma una volta fuori del mio raggio si metteva a trottare per lo spazio con un'andatura intenta come chi ha un programma ben deciso in testa. E quale fosse questo suo programma – questo suo inganno, come vedrete –, non tardai a scoprirlo: Pfwfp sapeva tutti i posti dove si formavano gli atomi nuovi e ogni tanto ci faceva un giro e li coglieva lì sul posto, appena scodellati, e poi li nascondeva. Per questo gli atomi da tirare non gli mancavano mai!

Ma prima di metterli in gioco, da quel baro recidivo che era, si metteva a truccarli da atomi vecchi, sfregando un po' la pellicola degli elettroni finché non la rendeva logora e opaca, per darmi a intendere che si trattava d'un atomo suo di prima, ritrovato per caso in una tasca.

Questo non era tutto: avevo fatto un rapido calcolo degli atomi giocati e m'ero accorto che erano solo una piccola parte di quelli che lui rubava e nascondeva. Stava mettendosi da parte un magazzino d'idrogeno? Per cosa farne? Cosa aveva in testa? Un sospetto mi venne: Pfwfp voleva costruirsi un universo per conto suo, nuovo fiammante.

Da quel momento in poi, non ebbi pace: dovevo rendergli pan per focaccia. Avrei potuto imitarlo: ora che sapevo i posti, arrivar lì con qualche minuto di anticipo, e impadronirmi degli atomi appena nati, prima che lui ci mettesse le mani! Ma sarebbe stato troppo semplice. Volevo farlo cadere in un tranello degno della sua perfidia. Per prima cosa, mi misi a fabbricare atomi falsi: mentre lui era intento alle sue proditorie incursioni, io in un mio ripostiglio segreto pestavo e dosavo e agglutinavo tutto il materiale che avevo disponibile. In verità questo materiale era ben poco: radiazioni fotoelettriche, limatura di campi magnetici, qualche neutrino perduto per via; ma a furia d'appallottolare e umettare di saliva riuscivo a far stare tutto insieme. Insomma, preparai certi corpuscoli che a osservarli attentamente era chiaro che non erano affatto d'idrogeno né d'altro elemento nominabile, ma per uno che passasse in fretta come Pfwfp a strapparli e ficcarseli in tasca con le sue mosse furtive, potevano sembrare idrogeno genuino e nuovo di zecca.

Così, mentre lui non sospettava ancora niente, lo precedetti nel suo giro. I posti me li ero marcati tutti bene in mente.

Lo spazio è curvo dappertutto ma ci sono punti in cui è più curvo che altrove: delle specie di sacche o strozzature o nicchie, dove il vuoto s'accartoccia su se stesso. È in queste nicchie che, con un lieve tintinnio, ogni duecentocinquanta milioni d'anni, si forma, come la perla tra le valve dell'ostrica, un lucente atomo d'idrogeno. Io passavo, intascavo l'atomo e al suo posto deponevo quello falso. Pfwfp non s'accorgeva di nulla: predace, ingordo, si riempiva le tasche di quella spazzatura, mentre io accumulavo quanti tesori l'universo andava covando nel suo seno.

Le sorti delle nostre partite cambiarono: io avevo sempre nuovi atomi da far correre, mentre quelli di Pfwfp facevano cilecca. Per tre volte si provò a tirare e per tre volte l'atomo si sbriciolò come schiacciato nello spazio. Ora Pfwfp cercava tutte le scuse per mandare a monte la partita.

– Dài, – lo incalzavo, – se non tiri, la partita è mia.

E lui: – Non vale, quando un atomo si guasta la partita è nulla, e si ricomincia da capo –. Era una regola inventata da lui in quel momento.

Io non gli davo tregua, gli ballavo intorno, saltavo alla cavallina sulle sue spalle e cantavo:

– Tiritiritiritiri
se non tiri ti ritiri
quanti tiri quanti tiri tu non tiri
tanti tiri tirerò.

– Basta, – disse Pfwfp, – cambiamo gioco.

– Alè! – dissi io. – Perché non giochiamo a far volare le galassie?

– Le galassie? – d'improvviso Pfwfp s'illuminò di contentezza. – Io ci sto! Ma tu... tu una galassia non l'hai mica!

– Io sì.

– Anch'io!

– Dài! A chi la fa volare più alta!

E tutti gli atomi nuovi che tenevo nascosti li lanciai nello spazio. Dapprima sembrarono disperdersi, poi s'addensarono come in una nuvola leggera, e la nuvola s'ingrandì, s'ingrandì, e al suo interno si formarono delle condensazioni incandescenti, e ruotavano, ruotavano e a un certo punto diventarono una spirale di costellazioni mai viste che si librava aprendosi a zampillo e fuggiva, fuggiva, e io la tenevo per la coda correndo. Ma ormai non ero più io che facevo volare la galassia, era la galassia che faceva volare me, appeso alla sua coda; ossia, non c'era più alto né basso ma solo spazio che si dilatava e la galassia in mezzo che si dilatava pure lei, e io appeso lì che facevo smorfie in direzione di Pfwfp distante già migliaia d'anni-luce.

Pfwfp, alla mia prima mossa, s'era affrettato a cacciar fuori tutto il suo bottino, e a lanciarlo accompagnandolo con il movimento bilanciato di chi s'aspetta di veder aprirsi in cielo le spire d'una sterminata galassia. Invece, niente. Ci fu uno sfrigolio di radiazioni, un baluginio disordinato, e subito si smorzò ogni cosa.

– Tutto lì? – io gridavo a Pfwfp che m'inveiva dietro, verde di rabbia:

– Ti farò vedere io, cane d'un Qfwfq!

Ma io e la mia galassia intanto volavamo tra migliaia d'altre galassie, e la mia era la più nuova, invidiata dall'intero firmamento, tutta bruciante com'era di giovane idrogeno e di giovanissimo berillio e di carbonio infante. Le galassie anziane ci sfuggivano gonfie d'invidia, e noi scalpitanti e altezzosi le fuggivamo, al vederle così antiquate e grevi. In questa fuga reciproca, finivamo per attraversare spazi sempre più rarefatti e sgombri: ed ecco che rivedevo in mezzo al vuoto spuntare qua e là come degli spruzzi incerti di luce. Erano tante nuove galassie, formate di materia appena nata, galassie già più nuove della mia. Presto lo spazio ridiventava folto e pieno come una vigna prima della vendemmia, e si volava fuggendoci, la mia galassia fuggendo dalle più giovani come dalle anziane, giovani e anziane fuggendo noi. E passammo a volare in cieli vuoti, e ancora questi cieli tornarono a popolarsi, e così via.

In uno di questi ripopolamenti, ecco che sento: – Qfwfq, ora la paghi, traditore! – e vedo una galassia nuovissima volare sulle nostre tracce, e proteso sull'estrema punta della spirale, a sbraitare verso di me minacce e insulti, il mio antico compagno di giochi Pfwfp.

Cominciò l'inseguimento. Dove lo spazio era in salita la galassia di Pfwfp, giovane e agile, guadagnava terreno, ma dove lo spazio era in discesa la mia più pesante riprendeva il vantaggio.

Nelle corse, si sa qual è il segreto: tutto sta a come si prendono le curve. La galassia di Pfwfp tendeva a stringerle, la mia invece ad allargarle. Allarga allarga, ecco che finiamo sbalzati fuori dell'orlo dello spazio, con Pfwfp dietro. Continuiamo la nostra corsa col sistema che si usa in questi casi, cioè creandoci lo spazio davanti a noi man mano che avanziamo.

Così, davanti avevo il nulla e alle mie spalle avevo quella brutta faccia di Pfwfp che m'inseguiva: da entrambe le parti una vista antipatica. Comunque: preferivo guardare avanti: e cosa vedo? Pfwfp, che il mio sguardo aveva appena lasciato là dietro, correva sulla sua galassia dritto davanti a me. – Ah! – gridai. – Ora tocca a me d'inseguirti!

– Come? – fece Pfwfp, non so bene se da dietro a me o da lì davanti, – se sono io che inseguo te!

Mi giro: Pfwfp era sempre alle mie calcagna. Mi rigiro ancora avanti: ed era lì che scappava volgendomi le spalle. Ma guardando meglio, vidi che davanti a questa sua galassia che mi precedeva ce n'era un'altra, e quest'altra era la mia,

80

tant'è vero che c'ero io sopra, inconfondibile ancorché visto di schiena. E mi voltai verso il Pfwfp che m'inseguiva e aguzzando lo sguardo vidi che la sua galassia era inseguita da un'altra galassia, la mia, con me in cima tal quale, e questo me stesso proprio in quel momento si girava a guardare all'indietro.

E cosí dietro ogni Qfwfq c'era un Pfwfp e dietro ogni Pfwfp un Qfwfq e ogni Pfwfp inseguiva un Qfwfq e ne era inseguito e viceversa. Le nostre distanze un po' s'accorciavano un po' s'allungavano ma ormai era chiaro che l'uno non avrebbe mai raggiunto l'altro né mai l'altro l'uno. Di giocare a rincorrerci avevamo perso ogni gusto, e del resto non eravamo più bambini, ma ormai non ci restava altro da fare.

Lo zio acquatico

I primi vertebrati, che nel Carbonifero lasciarono la vita acqua-
tica per quella terrestre, derivavano dai pesci ossei polmonati le cui
pinne potevano essere ruotate sotto il corpo e usate come zampe sulla
terra.

Ormai era chiaro che i tempi dell'acqua erano finiti, – *ri-
cordò il vecchio Qfwfq*, – quelli che si decidevano a fare il grande passo erano sempre in maggior numero, non c'era famiglia che non avesse qualcuno dei suoi cari là all'asciutto, tutti raccontavano cose straordinarie di quel che c'era da fare in
terraferma, e chiamavano i parenti. Ormai i pesci giovani
non li teneva più nessuno, sbattevano le pinne sulle rive di
fango per vedere se funzionavano da zampe, com'era riuscito
ai più dotati. Ma proprio in quei tempi s'accentuavano le
differenze tra noi: c'era la famiglia che viveva a terra da più
generazioni, e i cui giovani ostentavano maniere che non
erano nemmeno più da anfibi ma già quasi da rettili; e c'era
chi s'attardava ancora a fare il pesce, anzi, diventava più pesce di quanto non si usasse essere pesci una volta.

La nostra famiglia, devo dire, nonni in testa, zampettava
sulla spiaggia al completo, come non avessimo mai conosciuto altra vocazione. Non fosse stato per l'ostinazione del
prozio N'ba N'ga, i contatti col mondo acquatico sarebbero
stati perduti da un pezzo.

Sì, avevamo un prozio pesce, e precisamente dalla parte di
mia nonna paterna, nata dei Celacanti del Devoniano (quelli

85

d'acqua dolce: che poi resterebbero cugini di quegli altri – ma non voglio dilungarmi sui gradi di parentela, tanto nessuno riesce mai a seguirli). Dunque questo prozio abitava in certe acque basse e limacciose, tra radici di protoconifere, in quel braccio di laguna dov'erano nati tutti i nostri vecchi. Non si muoveva mai di là: in qualsiasi stagione bastava spingerci sugli strati di vegetazione più molli fin che non ci si sentiva sprofondare nel bagnato, e là sotto, a pochi palmi dall'orlo, vedevamo la colonna di bollicine che lui mandava su sbuffando, come fanno gli individui d'età, o la nuvoletta di fango raspata dal suo muso aguzzo, sempre lì a frugare più per abitudine che per cercar qualcosa.

– Zio N'ba N'ga! Siamo venuti a trovarla! Ci aspettava? – gridavamo, sguazzando nell'acqua zampe e coda per richiamare la sua attenzione. – Le abbiamo portato degli insetti nuovi che crescono da noi! Zio N'ba N'ga! Ne aveva mai viste, di blatte così grosse? Assaggi se le piacciono...

– Potete pulirvici quelle verruche schifose che avete addosso, con le vostre blatte puzzolenti! – La risposta del prozio era sempre una frase di questo genere, o magari più villana ancora: ci accoglieva così ogni volta, ma non ci facevamo caso perché sapevamo che dopo un po' finiva per rabbonirsi, gradire i doni, e conversare in toni più garbati. *mellow*

– Ma che verruche, zio N'ba N'ga? Quando mai ci ha visto addosso una verruca?

Questo delle verruche era un pregiudizio dei vecchi pesci: che a noi, a vivere all'asciutto, ci venissero tante verruche su tutto il corpo, trasudanti roba liquida; il che era vero sì, ma solo per i rospi, che con noi non avevano nulla da spartire; al contrario, la nostra pelle era liscia e sgusciante come nessun pesce l'aveva mai avuta; e il prozio lo sapeva bene, però non rinunciava a imbastire i suoi discorsi di tutte le calunnie e le prevenzioni in mezzo alle quali era cresciuto.

Andavamo a fare visita al prozio una volta all'anno, tutta la famiglia insieme. Era anche un'occasione per ritrovarci tra noi, sparpagliati com'eravamo nel continente, scambiarci notizie e insetti mangerecci, e discutere vecchie faccende d'interessi rimaste in sospeso.

Il prozio interloquiva anche in questioni lontane da lui chilometri e chilometri di terra secca, come sarebbe la spartizione delle zone per la caccia alle libellule, e dava ragione agli uni o agli altri secondo criteri suoi, che erano sempre quelli acquatici. – Ma non lo sai che chi caccia sul fondo è sempre in vantaggio su chi caccia a galla? Cos'hai da far tanto l'angoscioso, allora?

– Ma zio, veda, non è questione di galla o di fondo: io sto al piede della collina e lui a mezza costa... Le colline, ha presente, zio...

E lui: – Al piede degli scogli c'è sempre i gamberi migliori –. Non c'era verso di fargli accettare per possibile una realtà diversa dalla sua.

Eppure, il suo giudizio continuava ad avere un'autorità su tutti noi: finivamo per chiedergli consiglio su fatti di cui non capiva niente, benché sapessimo che poteva avere torto marcio. Forse la sua autorità gli veniva proprio dall'essere un avanzo del passato, dall'usare vecchi modi di dire, tipo: – E cala un po' le pinne, bravo! – di cui noi non comprendevamo neppur più bene il significato.

Tentativi di portarlo a terra con noi ne avevamo fatti parecchi, e continuavamo a farne; anzi, su questo punto non s'era mai spenta la rivalità tra i vari rami della famiglia, perché chi fosse riuscito a portare il prozio a casa propria si sarebbe trovato in una posizione diciamo preminente rispetto a tutto il parentado. Ma era una rivalità inutile, perché il prozio non si sognava di lasciare la laguna.

– Zio, alla bella età che ha, sapesse quanto ci dispiace lasciarla così sempre da solo, in mezzo all'umido... A noi, sa, è venuta un'idea... – attaccavamo.

– Me l'aspettavo che l'avreste capita, – interrompeva il vecchio pesce, – ormai il gusto di sguazzare nel secco ve lo

87

siete tolto, è giusto l'ora che torniate a vivere come esseri normali. Qui c'è acqua per tutti, e quanto al mangiare, la stagione dei lombrichi non è mai stata così buona. Potete buttarvi a bagno bell'e ora e non se ne parli più.

– Ma no, zio N'ba N'ga, cos'ha capito? Noi si voleva portarla a star con noi, in un bel praticello... Vedrà che ci si trova bene, le scaviamo una fossetta umida, fresca: lei ci si rigira come vuole tal quale a qui; potrà anche provare a fare qualche passo intorno, vedrà che ci riesce. E poi alla sua età il clima di terra è più indicato. Dunque, zio N'ba N'ga, non si faccia piú pregare: viene?

– No! – era la risposta secca del prozio, e con una nasata in acqua scompariva dalla nostra vista.

– Ma perché mai, zio, cos'ha contro, non comprendiamo, lei così largo di vedute, certi preconcetti...

In uno sbuffo a fior d'acqua, prima d'inabissarsi con un colpo ancor agile di coda, ci veniva l'ultima risposta del prozio: – Nuota a pancia nel fango chi ci ha pulci tra le squame! – che doveva essere un modo di dire dei suoi tempi (sul tipo del nostro proverbio nuovo, e molto più rapido: «Chi ha prurito si gratti»), con quell'espressione «fango» che lui continuava a usare per tutte le occasioni in cui noi dicevamo: «terra».

Fu in quell'epoca che io m'innamorai. Passavo le giornate con Lll, rincorrendoci; agile come lei non s'era vista mai nessuna; sulle felci, che a quel tempo erano alte come alberi, saliva fino in cima di slancio, e le cime s'inchinavano fin quasi al suolo, e lei saltava giù e riprendeva la sua corsa; io, con movimenti un po' più tardi e goffi, la seguivo. Ci inoltravamo in territori dell'interno dove mai nessuna impronta aveva marcato il suolo secco e crostoso; alle volte m'arrestavo spaventato d'essermi tanto allontanato dalla distesa delle lagune. Ma nulla pareva lontano dalla vita acquatica quanto lei, Lll: i deserti di sabbia e pietre, le praterie, il folto delle foreste, i rilievi rocciosi, le montagne di quarzo, questo era il suo mondo: un mondo che pareva fatto apposta per essere scrutato dai suoi occhi oblunghi e percorso dal suo passo guizzante. Guardando la sua pelle liscia pareva che non fossero mai esistite scaglie e squame.

I parenti di Lll mi davano un po' di soggezione: erano una di quelle famiglie che per essersi stabilite a terra in epoca più antica avevano finito per convincersi di stare qui da sempre; una di quelle famiglie in cui ormai anche le uova venivano deposte all'asciutto, protette da un guscio resistente; e Lll, a guardarla nei suoi scatti, nelle sue mosse saettanti, si capiva che era nata tal quale a ora, da una di quelle uova calde di sabbia e di sole, saltando a piè pari la fase natante e ciondolona del girino, ancora d'obbligo nelle nostre famiglie meno evolute.

Era venuto il momento che Lll conoscesse i miei: e il più anziano e autorevole della famiglia essendo il prozio N'ba N'ga, non potevo mancare di fargli una visita per presentargli la mia fidanzata. Ma tutte le volte che capitava un'occasione, rimandavo pieno d'imbarazzo: conoscendo i pregiudizi in cui lei era stata allevata, non avevo ancora osato dire a Lll che il mio prozio era un pesce.

Un giorno ci eravamo inoltrati in uno di quei fradici promontori che cingono la laguna, dove il suolo più che di sabbia è fatto di grovigli di radici e vegetazione marcita. E Lll mi propose una delle solite sue sfide o prove di bravura: – Qfwfq, fin dove sei buono a tenere l'equilibrio? Facciamo a chi corre più sull'orlo! – e si lanciò avanti col suo saltello da terraferma, ma un po' esitante.

Stavolta mi sentivo non solo d'emularla, ma di vincerla, perché sull'umido le mie zampe avevano più presa. – Fin sull'orlo quanto vuoi! – esclamai, – e magari anche al di là!

– Non dire stupidaggini! – fece lei. – Al di là dell'orlo come si fa a correre? C'è l'acqua!

Forse era il momento favorevole per portare il discorso

sul prozio. – E con ciò? – le dissi. – C'è chi corre di là dell'orlo e chi di qua.

– Dici delle cose senza capo né coda!

– Dico che il mio prozio N'ba N'ga sta nell'acqua come noi in terra, e non ne è mai uscito!

– Bum! Vorrei proprio conoscerlo questo N'ba N'ga!

Non aveva finito di dirlo e la torbida superficie della laguna gorgogliò di bollicine, si mosse un poco a vortice e lasciò affiorare un muso tutto ricoperto di squame spinose.

– Be': sono io, che c'è? – disse il prozio, fissando Lll con occhi tondi e inespressivi come pietre e facendo pulsare le branchie ai lati dell'enorme gola. Mai il prozio m'era parso così diverso da noi: un vero e proprio mostro.

– Zio, se permette, questa... vorrei avere il piacere appunto di farle conoscere... la mia promessa sposa Lll, – e indicai la mia fidanzata che chissà perché s'era messa ritta sulle zampe di dietro, in uno dei suoi atteggiamenti più ricercati e certamente meno apprezzabili da quel vecchio zoticone. ~relative

– E così bel bello, signorina, è venuta a bagnarsi un po' la coda? – fece il prozio, una battuta che ai suoi tempi sarà magari stata una galanteria, ma a noi suonava addirittura indecente.

Guardai Lll, sicuro di vederla voltarsi e scappar via con uno squittio scandalizzato. Ma non avevo calcolato quanto forte fosse in lei l'educazione a ignorare ogni volgarità del mondo circostante. – Senta, quelle piantine là, – fa, disinvolta, e indica certe giuncacee che crescevano gigantesche in mezzo alla laguna, – le radici, mi dica, dov'è che le affondano?

Una domanda di quelle che si fanno tanto per tener su la conversazione; figuriamoci cosa importava a lei delle giuncacee! Ma il prozio pareva che non aspettasse altro per mettersi a spiegare il perché e il percome delle radici degli alberi galleggianti e di come ci si poteva nuotare in mezzo, anzi: i posti più indicati per la caccia erano lì sotto.

Non la finiva più. Io sbuffavo, cercavo d'interromperlo.

Ma quella impertinente invece che fa? Non si mette a dargli corda? – Ah sì, lei va a caccia tra le radici natanti? Interessante!

Io sprofondavo dalla vergogna.

E lui: – Mica storie: i lombrichi che c'è lì, roba da farci delle scorpacciate! – E, senza starci a pensare, si tuffa. Un tuffo agile come mai gliene avevo visto fare; anzi, un salto in alto: balza fuori dell'acqua quant'è lungo, tutto maculato sulle squame, divaricando i ventagli spinosi delle pinne; poi, descritto in aria un bel semicerchio, ripiomba a immergersi testa avanti, e scompare rapido con una specie di movimento a vite della coda falcata.

A questa vista, il discorsetto che m'ero preparato per giustificarmi in fretta con Lll approfittando dell'allontanamento del prozio: «Sai, bisogna capirlo, con questa idea fissa di vivere come un pesce, ha finito per assomigliare a un pesce davvero...» mi si smorzò in gola. Neanch'io m'ero mai reso conto fino a che punto fosse pesce il fratello di mia nonna. Dissi appena: – Lll, è tardi, andiamo... – e già il prozio riemergeva reggendo tra le sue labbra da squalo un festone di lombrichi e alghe fangose.

Non mi pareva vero, quando ci accomiatammo; ma trottando zitto dietro a Lll pensavo che ora lei avrebbe cominciato a fare i suoi commenti, cioè che il peggio per me doveva ancor venire. Ed ecco Lll, senza fermarsi, si volta appena verso di me, e: – Però, simpatico, tuo zio! – Questo, dice, e nient'altro. Di fronte alla sua ironia, già più d'una volta m'ero trovato disarmato; ma il gelo che mi colse a questa battuta fu tale che avrei preferito non rivederla più piuttosto che dover riaffrontare l'argomento.

Invece continuammo a vederci, a andare insieme, e non si parlò più dell'episodio della laguna. Io restavo insicuro: avevo un bel cercare di convincermi che se ne fosse dimenticata; ogni tanto mi prendeva il sospetto che tacesse per potermi svergognare in qualche modo clamoroso, davanti ai suoi, oppure – e questa era per me un'ipotesi ancor peggiore – che soltanto per compassione si studiasse di parlare d'altro. Finché, di punto in bianco, un bel mattino non uscì a dire: – Ma senti, da tuo zio non mi ci porti più?

Con un filo di voce chiesi: – ...Scherzi?

Macché: diceva sul serio, non vedeva l'ora di tornare a far quattro chiacchiere col vecchio N'ba N'ga. Io non ci capivo più niente.

Quella volta la visita alla laguna fu più lunga. Ci sdraiammo su una riva in declivio tutti e tre: il prozio più dalla parte dell'acqua, ma anche noi mezzo a bagno, cosicché a vederci da lontano, allungati vicini, non si sarebbe capito chi era terrestre e chi acquatico.

Il pesce attaccò una solfa delle solite: la superiorità della respirazione ad acqua su quella aerea, con tutto il repertorio delle sue denigrazioni. «Adesso Lll salta su e gli risponde per le rime!» pensavo. Invece si vede che quel giorno Lll usava un'altra tattica: discuteva con impegno, difendendo i nostri punti di vista, ma come se prendesse molto sul serio quelli del vecchio N'ba N'ga.

Le terre emerse, secondo il prozio, erano un fenomeno limitato: sarebbero scomparse com'eran saltate fuori, o, comunque, sarebbero state soggette a continui cambiamenti: vulcani, glaciazioni, terremoti, corrugamenti, mutamenti di clima e di vegetazione. E la nostra vita là in mezzo avrebbe dovuto affrontare trasformazioni continue, attraverso le quali intere popolazioni sarebbero scomparse, e sarebbe potuto sopravvivere solo chi era disposto a cambiare talmente le basi della propria esistenza, che le ragioni per cui era bello vivere sarebbero state completamente sconvolte e dimenticate.

Una prospettiva che faceva a pugni con l'ottimismo in cui noi figli della costa eravamo stati allevati; e alla quale io ribattevo con proteste scandalizzate. Ma per me la vera, vivente confutazione di quegli argomenti era Lll: vedevo in lei la forma perfetta, definitiva, nata dalla conquista dei territori emersi, la somma delle nuove illimitate capacità che si aprivano. Come poteva pretendere, il prozio, di negare la realtà incarnata di Lll? Fiammeggiavo di passione polemica, e mi pareva che la mia compagna si dimostrasse fin troppo paziente e comprensiva col nostro contraddittore.

Certo, anche per me – abituato com'ero a sentire dalla bocca del prozio solo bofonchiamenti e improperi – questo suo argomentare così filato suonava come una novità, se pur condito d'espressioni antiquate ed enfatiche, e reso buffo dalla sua caratteristica cadenza. Stupiva anche sentirlo dar prova d'una competenza minuziosa – per quanto tutta esterna – delle terre continentali.

Ma Lll, con le sue domande, cercava di farlo parlare il più possibile della vita sott'acqua: e certo questo era il tema sul quale il discorso del prozio si faceva più serrato, ed a tratti commosso. In confronto alle incertezze della terra e dell'aria, lagune e mari e oceani rappresentavano un futuro di sicurezza. Là i cambiamenti sarebbero stati minimi, gli spazi e le provvigioni senza limiti, la temperatura avrebbe sempre trovato il suo equilibrio, insomma la vita si sarebbe conservata così come s'era svolta fin qui, nelle sue forme piene e perfette, senza metamorfosi o aggiunte di dubbio esito, e ognuno avrebbe potuto approfondire la propria natùra, arrivare all'essenza di sé e di ogni cosa. Il prozio parlava dell'avvenire acquatico senza abbellimenti o illusioni, non si nascondeva i problemi anche gravi che si sarebbero presentati (più preoccupante di tutti l'aumento della salinità); ma erano problemi che non avrebbero sconvolto i valori e le proporzioni in cui egli credeva.

– Ma noi ora galoppiamo per vallate e montagne, zio! – esclamai, a nome mio e soprattutto di Lll, che invece stava zitta.

– Va' là, girino, che appena torni a bagno torni a casa! – m'apostrofò lui, riprendendo il tono che gli avevo sempre sentito usare con noi.

– Non crede, zio, che se noi volessimo imparare a respira-

93

re sott'acqua ora sarebbe troppo tardi? – chiese Lll, seria, e io non sapevo se sentirmi lusingato perché aveva chiamato zio il mio vecchio parente o disorientato perché certe questioni (almeno, così ero abituato a pensare io) non si ponevano neppure.

– Se ci stai, stella, – fece il pesce, – ti ci insegno subito!

Lll uscì in una risata strana e finalmente si mise a correre, a correre da non poterle tener dietro.

La cercai per pianure e colline, giunsi in cima a uno sperone di basalto che dominava intorno il paesaggio di deserti e foreste circondato dalle acque. Lll era lì. Era certo questo che aveva voluto dirmi – io l'avevo capito! – col suo ascoltare N'ba N'ga e poi col suo fuggire e rifugiarsi lassù: che bisognava stare nel nostro mondo con la stessa forza con cui il vecchio pesce stava nel suo.

– Io sarò per qua come lo zio per là, – gridai, un po' farfugliando, poi mi corressi: – Noi due, saremo, insieme! – perché era vero che senza di lei non mi sentivo sicuro.

E Lll allora, cosa mi rispose? Ancora adesso arrossisco a ricordarlo, a distanza di tante ere geologiche. Rispose: – Va' là, girino, ci vuol altro! – e non sapevo se voleva fare il verso al prozio, per canzonare lui e me insieme, o se davvero aveva fatto suo l'atteggiamento di quel vecchio bacucco verso il pronipote, e l'una e l'altra ipotesi erano ugualmente scoraggianti, perché entrambe significavano che mi considerava uno a metà strada, uno che non era nel suo né in un mondo né nell'altro.

L'avevo perduta? Nel dubbio, mi precipitai a riconquistarla. Presi a compiere prodezze: nella caccia agli insetti volanti, nel salto, nello scavare tane sotterranee, nella lotta coi più forti dei nostri. Ero fiero di me stesso, ma purtroppo ogni volta che facevo qualcosa di valoroso, lei non era lì a vedermi: spariva continuamente, non si sapeva dove andasse a nascondersi.

Finalmente capii: andava alla laguna dove il prozio le insegnava a nuotare sott'acqua. Li vidi affiorare insieme: filavano a pari velocità, da sembrare fratello e sorella.

– Sai, – fece lei, allegra, vedendomi, – le zampe funzionano benissimo da pinne!

– E brava: guarda che bel passo avanti, – non potei fare a meno di commentare, con sarcasmo.

Era un gioco, per lei, lo capivo. Ma un gioco che non mi piaceva. Dovevo richiamarla alla realtà, al futuro che ci attendeva.

Un giorno la aspettai in mezzo a un bosco di alte felci, che scoscendeva sull'acqua.

– Lll, ho da parlarti, – dissi appena la vidi, – adesso ti sei divertita abbastanza. Abbiamo cose più importanti davanti a noi. Ho scoperto un passaggio nella catena dei monti: di là s'estende un'immensa pianura di pietra, abbandonata da poco dalle acque. Saremo i primi a stabilirci là, popoleremo territori sconfinati, noi e i nostri figli.

– Il mare, è sconfinato, – disse Lll.

– Smettila di ripetere le fandonie di quel vecchio rimbambito. Il mondo è di chi ha gambe, non dei pesci, lo sai.

– So che lui è uno che è uno, – disse Lll.

– E io?

– Nessuno c'è di quelli con le gambe che sia uno come lui.

– E la tua famiglia?

– Ci ho litigato. Non hanno mai capito niente.

– Ma sei matta! Non si può mica tornare indietro!

– Io sì.

– E cosa vuoi fare, tu sola con un vecchio pesce?

– Sposarlo. Tornare pesce con lui. E mettere al mondo altri pesci. Addio.

E, con un'ultima arrampicata delle sue, salì fino in cima a un'alta foglia di felce, l'inclinò verso la laguna, e si lasciò andare in un tuffo. Riemerse, ma non era sola: la robusta coda falcata del prozio N'ba N'ga affiorò vicino alla sua e insieme fendettero le acque.

Fu una batosta dura per me. Ma poi, che farci? Continuai la mia strada, in mezzo alle trasformazioni del mondo, anch'io trasformandomi. Ogni tanto, tra le tante forme degli esseri viventi, incontravo qualcuno che «era uno» più di quanto io non lo fossi: uno che annunciava il futuro, ornitorinco che allatta il piccolo uscito dall'uovo, giraffa allampanata in mezzo alla vegetazione ancora bassa; o uno che testimoniava un passato senza ritorno, dinosauro superstite dopo ch'era cominciato il Cenozoico, oppure – coccodrillo – un passato che aveva trovato il modo di conservarsi immobile nei secoli. Tutti costoro avevano qualcosa, lo so, che li rendeva in qualche modo superiori a me, sublimi, e che rendeva me, in confronto a loro, mediocre. Eppure non mi sarei cambiato con nessuno di loro.

Quanto scommettiamo

La logica della cibernetica, applicata alla storia dell'universo, è sulla via di dimostrare come le Galassie, il Sistema solare, la Terra, la vita cellulare non potessero non nascere. Secondo la cibernetica, l'universo si forma attraverso una serie di «retroazioni» positive e negative, dapprima per la forza di gravità che concentra masse d'idrogeno nella nube primitiva, poi per la forza nucleare e la forza centrifuga che si equilibrano con la prima. Dal momento in cui il processo si mette in moto, esso non può che seguire la logica di queste «retroazioni» a catena.

Sì, ma dapprincipio non lo si sapeva, – *precisò Qfwfq*, – ossia, uno poteva anche prevederlo, ma così, un po' a naso, tirando a indovinare. Io, non per vantarmi, fin da principio scommisi che l'universo ci sarebbe stato, e l'azzeccai, e anche sul come sarebbe stato vinsi parecchie scommesse, col Decano (k)yK.

Quando cominciammo a scommettere non c'era ancora niente che potesse far prevedere niente, tranne un po' di particelle che giravano, elettroni buttati in qua e in là come vien viene, e protoni su e giù ciascuno per suo conto. Io non so cosa sento, come stesse per cambiare il tempo (in effetti s'era messo un po' freddo) e dico: – Scommettiamo che oggi la va ad atomi?

E il Decano (k)yK: – Ma fa' il favore: atomi! Io scommetto di no, tutto quello che vuoi.

E io: – Scommetteresti anche ix?

E il Decano: – Ix elevato a enne!

Non aveva finito di dirlo, e già attorno a ogni protone aveva preso a vorticare il suo elettrone, ronzando. Un'enorme nube d'idrogeno si stava condensando nello spazio. – Hai visto? Pieno d'atomi!

– Atomi di quelli lì, pua', bella roba! – faceva (k)yK, perché aveva la cattiva abitudine di mettersi a far storie, invece di riconoscere che la scommessa era perduta.

Facevamo sempre delle scommesse, io e il Decano, perché non c'era proprio altro da fare, e anche perché l'unica prova che io ci fossi era il fatto che scommettevo con lui, e l'unica prova che ci fosse lui era il fatto che scommetteva con me. Scommettevamo sugli avvenimenti che sarebbero o non sarebbero avvenuti; la scelta era praticamente illimitata, dato che fino a quel momento non era avvenuto assolutamente niente. Ma siccome non c'era nemmeno modo d'immaginarsi come un avvenimento avrebbe potuto essere, lo designavamo in modo convenzionale: avvenimento A, avvenimento B, avvenimento C, eccetera, tanto per distinguerli. Ossia: dato che allora non esistevano alfabeti o altre serie di segni convenzionali, prima scommettevamo su come sarebbe potuta essere una serie di segni e poi accoppiavamo questi possibili segni a dei possibili avvenimenti, in modo da designare con sufficiente precisione faccende di cui non sapevamo un bel niente.

Anche la posta delle scommesse non si sapeva cos'era perché non c'era niente che potesse far da posta, e quindi giocavamo sulla parola, tenendo il conto delle scommesse vinte da ciascuno, per fare la somma poi. Tutte operazioni molto difficili, dato che allora non esistevano numeri, e nemmeno avevamo il concetto di numero, per cominciare a contare, giacché non si riusciva a separare nulla da nulla.

Questa situazione cominciò a cambiare quando nelle Protogalassie s'andarono condensando le Protostelle, e io capii subito come sarebbe andata a finire, con quella temperatura che cresceva cresceva, e dissi: – Ora s'accendono.

– Balle! – fece il Decano.

– Scommettiamo? – faccio io.

– Quello che vuoi, – fa lui, e paf! il buio fu aperto da tanti palloni incandescenti che si dilatavano.

– Eh, ma accendersi non vuol mica dire quello lì... – cominciava (k)yK, col solito suo sistema di spostare la questione sulle parole.

Io allora avevo il mio, di sistema, per metterlo a tacere: – Ah sì? e allora cosa vuol dire, secondo te?

Lui stava zitto: povero d'immaginazione com'era, appena una parola cominciava ad avere un significato, non riusciva a pensare che potesse averne un altro.

Il Decano (k)yK, a starci insieme per un po', era un tipo abbastanza noioso, privo di risorse, non aveva mai nulla da raccontare. Neanch'io, del resto, avrei potuto raccontare molto, dato che fatti degni d'esser raccontati non ne erano successi, o almeno così pareva a noi. L'unica era fare delle ipotesi, anzi: fare ipotesi sulla possibilità di fare ipotesi. Ora, nel fare ipotesi di ipotesi, io avevo più immaginazione del Decano, e questo era insieme un vantaggio e uno svantaggio, perché mi portava a fare scommesse più arrischiate, cosicché si può dire che le probabilità di vincita erano pari.

In genere, io puntavo sulla possibilità che un dato avvenimento avvenisse, mentre il Decano scommetteva quasi sempre contro. Aveva un senso statico della realtà, (k)yK, se posso esprimermi in questo modo, dato che tra statico e dinamico allora non c'era la differenza che c'è adesso, o almeno bisognava stare attenti per coglierla, quella differenza.

Per esempio, le stelle s'ingrossavano, e io: – Di quanto? – faccio. Cercavo di portare il pronostico sui numeri perché così lui trovava meno da discutere.

A quel tempo, di numeri ce n'erano soltanto due: il numero *e* e il numero *pi greco*. Il Decano fa un calcolo a occhio e croce, e risponde: – Cresce di *e* elevato a *ti*.

Bravo furbo! Fin lì ci arrivavano tutti. Ma le cose non erano così semplici, io l'avevo capito. – Scommettiamo che si ferma, a un certo punto.

– Scommettiamo. E quand'è che dovrebbe fermarsi?

E io, o la va o la spacca, gli sparo il mio *pi greco*. Andò. Il Decano ci restò di stucco.

Da quel momento cominciammo a scommettere a base di *e* e di *pi greco*.

– *Pi greco!* – gridava il Decano, in mezzo al buio sparso di bagliori. Invece era la volta che era *e*.

Facevamo per divertirci, si capisce; perché come guadagno non ci sarebbe stato tornaconto. Quando cominciarono a formarsi gli elementi, prendemmo a valutare le puntate in atomi degli elementi più rari, e lì commisi un errore. Avevo visto che il più raro di tutti era il tecnezio, e presi a scommettere tecnezio, e a vincere, e a incassare: accumulai un capitale di tecnezio. Non avevo previsto che era un elemento instabile e se ne andava tutto in radiazioni: mi trovai a dover ricominciare da zero.

Certo avevo anch'io i miei colpi sbagliati, ma poi riprendevo il vantaggio e potevo permettermi qualche pronostico arrischiato.

– Ora viene fuori un isotopo del bismuto! – mi precipitavo a dire, guardando gli elementi appena nati scoppiettar fuori dal crogiolo d'una stella «supernova». – Scommettiamo!

Macché: era un atomo di polonio, sano sano.

In questi casi (k)yK prendeva a sghignazzare, a sghignazzare, come se le sue vittorie fossero un gran merito, mentre era solo una mossa troppo arrischiata da parte mia che l'aveva favorito. Invece, più andavo avanti, più capivo il meccanismo, e di fronte a ogni fenomeno nuovo, dopo qualche puntata un po' a tentoni, calcolavo i miei pronostici a ragion veduta. La regola per cui una galassia si fissava a tanti milioni d'anni-luce da un'altra, né di più né di meno, arrivavo a capirlo sempre prima io di lui. Dopo un po' diventava così facile che non ci provavo neppure più gusto.

Così, dai dati di cui disponevo, provavo a dedurre mentalmente altri dati, e da questi altri ancora, finché non riuscivo a proporre eventualità che in apparenza non c'entravano per niente con quello di cui stavamo discutendo. E le buttavo lì, senza parere.

Per esempio, stavamo facendo pronostici sulla curvatura delle spirali galattiche, e a un tratto io esco a dire: – Ora senti un po', (k)yK, secondo te, gli Assiri la invaderanno, la Mesopotamia?

Restò disorientato. – La... cosa? Quando?

Calcolai in fretta e gli sparai una data, naturalmente non in anni e in secoli, perché allora le unità di misura del tempo non erano apprezzabili in grandezze di quel tipo, e per indicare una data precisa dovevamo ricorrere a formule così complicate che a scriverle avrebbero ricoperto una lavagna.

– E come si fa a sapere...?

– Veloce, (k)yK, la invadono o no? Per me, che la invadono; per te, che no. Ci stai? Dài, non tirarla in lungo.

Eravamo ancora nel vuoto senza limiti, striato qua e là da qualche baffo d'idrogeno attorno ai vortici delle prime costellazioni. Ammetto che ci volevano deduzioni molto complicate per prevedere le pianure della Mesopotamia nereggianti di uomini e cavalli e frecce e trombe, ma non avendo altro da fare si poteva ben riuscirci.

Invece, in questi casi il Decano puntava sempre sul no, e non perché pensasse che gli Assiri non ce l'avrebbero fatta, ma semplicemente perché escludeva che ci sarebbero mai stati Assiri e Mesopotamia e Terra e genere umano.

Queste, s'intende, erano scommesse a più lunga scadenza delle altre; non come in certi casi, che il risultato si sapeva subito. – Vedi quel Sole lì che si forma con un elissoide tutt'intorno? Veloce, prima che si formino i pianeti, di' a che distanza saranno le orbite una dall'altra...

Avevamo appena finito di dirlo ed ecco che nel giro d'otto o nove, che dico? di sei o sette centinaia di milioni d'anni, i pianeti si mettevano a girare ciascuno nella sua orbita, né più stretta né più larga.

Molto maggior soddisfazione mi davano invece le scommesse che dovevamo tenere a mente per miliardi e miliardi d'anni, senza dimenticarci su cosa avevamo puntato e quanto, e nello stesso tempo ricordarci le scommesse a scadenza più prossima, e il numero (era cominciata l'epoca dei numeri interi, e questo complicava un po' le cose) delle scommesse vinte dall'uno e dall'altro, l'ammontare delle poste (il mio vantaggio cresceva sempre: il Decano era indebitato fino al collo). E in aggiunta a tutto questo dovevo escogitare scommesse nuove, sempre più avanti nella catena delle deduzioni.

– L'otto febbraio 1926, a Santhià, provincia di Vercelli, d'accordo?, in via Garibaldi, al numero 18, mi segui?, la signorina Giuseppina Pensotti, d'anni ventidue, esce di casa alle cinque e tre quarti del pomeriggio: prende a destra o a sinistra?

– Eeeh... – faceva (k)yK.

– Dài, veloce. Io dico che va a destra –. E attraverso le nebule di pulviscolo solcate dalle orbite delle costellazioni già vedevo salire la nebbietta della sera per le vie di Santhià, accendersi fioco un lampione che arrivava appena a segnare la linea del marciapiede nella neve, e illuminava per un momento l'ombra snella di Giuseppina Pensotti mentre voltava l'angolo dopo la pesa del Dazio, e si perdeva.

Su quel che doveva capitare ai corpi celesti potevo smettere di fare nuove scommesse e aspettare tranquillamente d'intascare le puntate di (k)yK man mano che le mie previsioni s'avveravano. Ma la passione del gioco mi portava, d'ogni avvenimento possibile, a prevedere le serie interminabili di avvenimenti che ne conseguivano, fino ai più marginali e aleatori. Cominciai ad abbinare pronostici sui fatti più immediati e facilmente calcolabili con altri che richiedevano operazioni estremamente complesse. – Presto, vedi i pianeti come si condensano: di' un po' su quale si formerà un'atmosfera: Mercurio? Venere? Terra? Marte? Dài, deciditi; e poi, visto che ci sei, calcolami l'indice d'incremento demografico della penisola indiana durante la dominazione inglese. Cosa stai lì a pensarci tanto? Sbrigati.

Avevo imboccato un canale, uno spiraglio, al di là del quale gli avvenimenti nereggiavano con moltiplicata densità, non c'era che da coglierli a manciate e gettarli in faccia al mio competitore che non ne aveva mai supposto l'esistenza. La volta che mi venne da lasciar cadere quasi distrattamente la domanda: – Arsenal-Real Madrid, in semifinale, Arsenal gioca in casa, chi vince? – in un attimo compresi che con questo che pareva un casuale accozzo di parole avevo toccato una riserva infinita di nuove combinazioni tra i segni di cui la realtà compatta e opaca e uniforme si sarebbe servita per travestire la sua monotonia, e forse la corsa verso il futuro, quella corsa che io per primo avevo previsto e auspicato, non tendeva ad altro attraverso il tempo e lo spazio che a uno sbriciolarsi in alternative come queste, fino a dissolversi in una geometria d'invisibili triangoli e rimbalzi come il percorso del pallone tra le linee bianche del campo quali io cercavo d'immaginarmi tracciate in fondo al vortice luminoso del sistema planetario, decifrando i numeri segnati sul petto e la schiena di giocatori notturni irriconoscibili in lontananza.

Ormai m'ero gettato in questa nuova area del possibile giocandoci tutte le mie vincite precedenti. Chi poteva fermarmi? La solita perplessa incredulità del Decano non serviva che a incitarmi a rischiare. Quando m'accorsi d'essermi cacciato in una trappola era tardi. Ebbi ancora la soddisfazione – magra soddisfazione, stavolta – d'essere il primo ad accorgermene: (k)yK non pareva rendersi conto che la fortuna s'era ormai girata dalla sua parte, ma io contavo le sue risate, un tempo rare e la cui frequenza ora aumentava, aumentava...

– Qfwfq, hai visto che il Faraone Amenhotep IV non ha avuto figli maschi? Ho vinto io!

– Qfwfq, hai visto che Pompeo non ce l'ha fatta, con Cesare? Lo dicevo!

Eppure io i miei calcoli li avevo seguiti fino in fondo, non avevo trascurato nessuna componente. Anche avessi dovuto tornare da capo, avrei riscommesso come prima.

– Qfwfq, sotto l'imperatore Giustiniano fu importato dalla Cina a Costantinopoli il baco da seta, non la polvere da sparo... O sono io che faccio confusione?

– Ma no, hai vinto tu, hai vinto...

Certo m'ero lasciato andare a far pronostici su avvenimenti sfuggenti, impalpabili, e ne avevo fatto molti, moltissimi, e adesso non potevo più tirarmi indietro, non potevo correggermi. E del resto, correggermi come? in base a che cosa?

– Dunque, Balzac non fa suicidare Lucien de Rubempré alla fine delle *Illusions perdues*, – diceva il Decano, con una vocetta trionfante che gli era venuta da un po' di tempo in qua, – ma lo fa salvare da Carlos Herrera, alias Vautrin, sai?, quello che c'era già nel *Père Goriot*... Allora, Qfwfq, a quanto siamo?

Il mio vantaggio calava. Avevo messo al sicuro le mie vincite, convertite in valuta pregiata, in una banca svizzera; ma dovevo ritirare continuamente grosse somme per far fronte alle perdite. Non che perdessi sempre. Qualche scommessa la vincevo ancora, magari grossa, ma le parti s'erano scambiate; quando vincevo non ero più sicuro che non fosse stato un caso, e che la volta dopo non mi toccasse una nuova smentita ai miei calcoli.

Al punto in cui eravamo, ci erano necessari una biblioteca d'opere di consultazione, abbonamenti a riviste specializzate, oltre che un'attrezzatura di macchine calcolatrici per i nostri computi: il tutto, come sapete, ci è stato messo a disposizione da una Research Foundation, alla quale, stabilitici su questo pianeta, ci eravamo rivolti perché sovvenzionasse i nostri studi. Naturalmente, le scommesse figurano essere un innocente gioco tra noi e nessuno sospetta le grosse cifre che in esse sono coinvolte. Ufficialmente campiamo col nostro modesto mensile di ricercatori del Centro Previsioni Elettroniche, con in più, per (k)yK, l'indennità che gli comporta la carica di Decano, che è riuscito ad ottenere dalla Facoltà sempre con la sua aria di non muovere un dito. (La sua predilezione per la stasi s'è andata sempre aggravando, tanto che qui si è presentato nelle vesti d'un paralitico, su una poltrona a ruote.) Questo titolo di Decano, sia detto per inciso, con l'anzianità non ci ha niente a che vedere, se no io ne avrei diritto almeno quanto lui, solo che io non ci tengo.

Così siamo arrivati a questa situazione. Il Decano (k)yK, dal loggiato della sua palazzina, seduto nella poltrona a ruote, con le gambe ricoperte dalla coltre di giornali di tutto il mondo arrivati con la posta del mattino, grida da farsi sentire da una parte all'altra del campus:

– Qfwfq, il trattato atomico tra Turchia e Giappone oggi non è stato firmato, neanche iniziate le trattative, hai visto? Qfwfq, l'uxoricida di Termini Imerese è stato condannato a tre anni, come dicevo io: non all'ergastolo!

E sbandiera le pagine dei quotidiani, bianche e nere come lo spazio quando s'andavano formando le galassie, e gremite – come allora lo spazio – di corpuscoli isolati, circondati di vuoto, privi in sé di destinazione e di senso. E io penso a com'era bello allora, attraverso quel vuoto, tracciare rette e parabole, individuare il punto esatto, l'intersezione tra spazio e tempo in cui sarebbe scoccato l'avvenimento, incontestabile nello spicco del suo bagliore; mentre adesso gli avvenimenti vengono giù ininterrotti, come una colata di cemento, uno in colonna sull'altro, uno incastrato nell'altro, separati da titoli neri e incongrui, leggibili per più versi ma intrinsecamente illeggibili, una pasta d'avvenimenti senza forma né direzione, che circonda sommerge schiaccia ogni ragionamento.

– Sai Qfwfq? Le quotazioni di chiusura oggi a Wall Street sono scese del 2%, non del 6! E di', lo stabile costruito abusivamente sulla Via Cassia è di dodici piani, non di nove! Nearco IV vince a Longchamps per due lunghezze. A quanto siamo, Qfwfq?

I Dinosauri

Misteriose restano le cause della rapida estinzione dei Dinosauri, che si erano evoluti e ingranditi per tutto il Triassico e il Giurassico e per 150 milioni d'anni erano stati gli incontrastati dominatori dei continenti. Forse furono incapaci di adattarsi ai grandi cambiamenti di clima e di vegetazione che ebbero luogo nel Cretaceo. Alla fine di quell'epoca erano tutti morti.

Tutti tranne me, – precisò Qfwfq, – perché anch'io, per un certo periodo, sono stato dinosauro: diciamo per una cinquantina di milioni d'anni; e non me ne pento: allora essere dinosauro si aveva la coscienza d'essere nel giusto, e ci si faceva rispettare.

Poi la situazione cambiò, è inutile che vi racconti i particolari, cominciarono guai di tutti i generi, sconfitte, errori, dubbi, tradimenti, pestilenze. Una nuova popolazione cresceva sulla terra, nemica a noi. Ci davano addosso da tutte le parti, non ce ne andava bene una. Adesso qualcuno dice che il gusto di tramontare, la passione d'essere distrutti facessero parte dello spirito di noi Dinosauri già da prima. Non so: io questo sentimento non l'ho mai provato; se degli altri l'avevano, è perché già si sentivano perduti.

Preferisco non tornare con la memoria all'epoca della grande moría. Non avrei mai creduto di scamparla. La lunga migrazione che mi mise in salvo, la compii attraverso un cimitero di carcasse spolpate, in cui solo una cresta, o un corno, o una piastra di corazza, o un brandello di pelle tutta sca-

111

glie ricordava lo splendore antico dell'essere vivente. E addosso a questi resti lavoravano i becchi, i rostri, le zanne, le ventose dei nuovi padroni del pianeta. Quando non vidi più tracce di vivi né di morti mi fermai.

Su quegli altipiani deserti passai molti e molti anni. Ero sopravvissuto agli agguati, alle epidemie, all'inedia, al gelo: ma ero solo. Continuare a star lassù in eterno non potevo. Mi misi in strada per discendere.

Il mondo era cambiato: non riconoscevo più né i monti né i fiumi né le piante. La prima volta che scorsi degli esseri viventi mi nascosi; erano un branco dei Nuovi, esemplari piccoli ma forti.

– Ehi, tu! – Mi avevano avvistato, e subito mi stupì quel modo familiare di apostrofarmi. Scappai; mi rincorsero. Ero abituato da millenni a suscitare terrore intorno a me, e a provare terrore delle reazioni altrui al terrore che suscitavo. Adesso niente: – Ehi, tu! –; s'avvicinavano a me come se niente fosse, né ostili né spaventati.

– Perché corri? Cosa ti salta in mente? – Volevano solo che gli indicassi la strada giusta per andare non so dove. Balbettai che non ero del posto. – Che t'ha preso di scappare? – disse uno. – Pareva avessi visto... un Dinosauro! – e gli altri risero. Ma in quella risata sentii per la prima volta un accento di apprensione. Ridevano un po' verde. E uno di loro si fece grave e soggiunse: – Non dirlo nemmeno per scherzo. Tu non sai cosa sono...

Dunque, ancora il terrore dei Dinosauri continuava, nei Nuovi, ma forse da parecchie generazioni non ne avevano più visti, e non sapevano riconoscerli. Continuai il cammino, guardingo ma pur impaziente di ripetere l'esperimento. A una fontana beveva una giovane dei Nuovi; era sola. M'avvicinai pian piano, allungai il collo per bere accanto a lei; già presentivo il suo grido disperato appena m'avrebbe visto, la sua fuga affannosa. Ecco che avrebbe dato l'allarme, sarebbero venuti in forze i Nuovi a darmi la caccia... Sull'istante, mi ero già pentito del mio gesto; se volevo salvarmi dovevo subito sbranarla: ricominciare...

La giovane si voltò, disse: – Neh che è fresca? – Prese a conversare amabilmente, con frasi un po' di circostanza, come si fa con gli stranieri, a domandarmi se venivo di lontano e se avevo incontrato pioggia o bel tempo nel viaggio. Io non avrei mai immaginato che ci si potesse parlare così, con dei non-Dinosauri, e restavo tutto teso e quasi muto.

– Io vengo sempre a bere qui, – disse lei, – dal Dinosauro...
Ebbi uno scatto del capo, sbarrai gli occhi.

– Sì, sì, la chiamiamo così, la Fontana del Dinosauro, dai tempi antichi. Dicono che una volta s'era nascosto qui un Dinosauro, uno degli ultimi, e chi veniva a bere lui gli saltava addosso e lo sbranava, mamma mia!

Avrei voluto sparire. «Adesso capisce chi sono, – pensavo, – adesso mi osserva meglio e mi riconosce!» e come fa chi vorrebbe non essere guardato, tenevo gli occhi bassi, e mi attorcigliavo la coda come per nasconderla. Tanto era lo sforzo nervoso che quando lei, tutta sorridente, mi salutò e proseguì per la sua via, mi sentii stanco come se avessi sostenuto una battaglia, di quelle del tempo in cui ci si difendeva con le unghie e coi denti. M'accorsi che non ero stato neanche buono di risponderle buongiorno.

Arrivai alla riva d'un fiume, dove i Nuovi avevano le loro tane, e vivevano di pesca. Per creare un'ansa nel fiume dove l'acqua meno rapida trattenesse i pesci, costruivano una diga di rami. Appena mi videro, alzarono il capo dal lavoro e si fermarono; guardarono me, si guardarono tra loro, come interrogandosi, sempre in silenzio. «Ora ci siamo, – pensai, – non mi resta che vendere cara la pelle», e mi preparai al balzo.

Per fortuna seppi fermarmi in tempo. Quei pescatori non avevano nulla contro di me: vedendomi robusto, volevano domandarmi se potevo fermarmi da loro, e lavorare nel trasporto del legname.

– Qui è un posto sicuro, – insistettero, di fronte alla mia

aria perplessa. – Dinosauri è dal tempo dei nonni dei nostri nonni che non se ne vedono...

A nessuno veniva il sospetto di chi potevo essere. Mi fermai. C'era un buon clima, vitto non certo per i nostri gusti ma discreto, e un lavoro non eccessivamente gravoso, data la mia forza. Mi chiamavano con un soprannome: «il Brutto», perché ero diverso da loro, non per altro. Questi Nuovi, non so come diavolo li chiamate voi, Pantoteri o cos'altro, erano d'una specie ancora un po' informe, dalla quale difatti venne poi fuori tutto il resto delle specie, e già a quel tempo tra individuo e individuo si passava attraverso le più varie somiglianze e dissimiglianze possibili, cosicché io, sebbene tutt'un altro tipo, dovetti convincermi che poi poi non facevo tanto spicco.

Non che mi abituassi completamente a quest'idea: mi sentivo sempre un Dinosauro in mezzo ai nemici, e ogni sera, quando attaccavano a raccontare storie di Dinosauri, tramandate di generazione in generazione, io mi facevo indietro, nell'ombra, a nervi tesi.

Erano storie terrificanti. Gli ascoltatori, pallidi, erompendo ogni tanto in grida di spavento, pendevano dalle labbra di chi raccontava, il quale, a sua volta, tradiva nella voce un'emozione non minore. Presto mi fu chiaro che quelle storie erano già note a tutti (nonostante costituissero un repertorio assai copioso) ma a sentirle lo spavento si rinnovava ogni volta. I Dinosauri vi apparivano come tanti mostri, descritti con particolari che mai avrebbero permesso di riconoscerne uno, e intenti solo ad arrecare danni ai Nuovi, come se i Nuovi fossero stati fin dal principio i più importanti abitatori della Terra, e noi non avessimo avuto altro da fare che correre dietro a loro dal mattino alla sera. Per me, pensare a noi Dinosauri era invece riandare con la mente a una lunga serie di traversie, di agonie, di lutti; le storie che di noi raccontavano i Nuovi erano così lontane dalla mia esperienza che avrebbero dovuto lasciarmi indifferente, come se parlassero di estranei, di sconosciuti. Eppure ascoltandole mi accorgevo che non avevo mai pensato a come noi eravamo apparsi agli altri, e che tra molte fandonie quei racconti, in qualche particolare e dal loro determinato punto di vista, coglievano nel vero. Nella mia mente le loro storie di terrore inflitte da noi si confondevano coi miei ricordi di terrore subìto: più apprendevo quanto avevamo fatto tremare, più tremavo.

Raccontavano una storia ciascuno, a turno, e a un certo punto: – E il Brutto cosa ci dice? – fanno. – Non ne hai, storie da raccontare, tu? Nella tua famiglia non ne sono capitate, di avventure coi Dinosauri?

– Sì, mah... – farfugliavo, – è passato tanto tempo... eh, se sapeste...

Chi mi veniva in aiuto in quei frangenti era Fior di Felce, la giovane della fontana. – Ma lasciatelo in pace... È forestiero, non s'è ancora ambientato, parla male la nostra lingua...

Finivano per cambiar discorso. Io respiravo.

Tra Fior di Felce e me s'era stabilita una specie di confidenza. Nulla di troppo intimo: non avevo mai osato sfiorarla. Ma parlavamo a lungo. Ossia, era lei a raccontarmi tante cose della sua vita; io per timore di tradirmi, di metterla in sospetto sulla mia identità, mi tenevo sempre sulle generali. Fior di Felce mi raccontava i suoi sogni: – Stanotte ho visto un Dinosauro enorme, spaventoso, che faceva fuoco dalle narici. S'avvicina, mi prende per la nuca, mi porta via, vuole mangiarmi viva. Era un sogno terribile, terribile, ma io, che strano, non ero mica spaventata, no, come dirti? mi piaceva...

Da quel sogno avrei dovuto capire tante cose e soprattutto una: che Fior di Felce non desiderava altro che d'essere aggredita. Era il momento, per me, d'abbracciarla. Ma il Dinosauro che loro immaginavano era troppo diverso dal Dinosauro che io ero, e questo pensiero mi rendeva ancora più diverso e timido. Insomma, persi una buona occasione. Poi il fratello di Fior di Felce tornò dalla stagione della pesca in pianura, la giovane era molto più sorvegliata, e le nostre conversazioni diradarono.

Questo fratello, Zahn, dal primo momento che mi vide prese un'aria sospettosa. – E quello chi è? Da dove viene? – chiese agli altri, indicandomi.

– È il Brutto, un forestiero che lavora nel legname, – gli dissero. – Perché? Che ci ha di strano?

– Vorrei domandarlo a lui, – fece Zahn, con aria torva. – Ehi tu, che ci hai di strano?

Cosa dovevo rispondere? – Io? Niente...

– Perché tu, secondo te, non saresti strano, eh? – e rise. Per quella volta finì lì, ma io non m'aspettavo niente di buono.

Questo Zhan era uno dei tipi più risoluti del villaggio. Aveva girato il mondo e mostrava di sapere molte cose più degli altri. Quando sentiva i soliti discorsi sui Dinosauri era preso da una specie d'insofferenza. – Favole, – disse una volta, – voi raccontate favole. Vorrei vedervi se arrivasse qui un Dinosauro vero.

– Ormai è da tanto tempo che non ce ne sono più... – interloquì un pescatore.

– Mica da tanto... – ghignò Zahn, – e non è detto che non ce ne sia ancora qualche branco che batte la campagna... In pianura, i nostri fanno i turni di sentinella giorno e notte. Ma là possono fidarsi d'ognuno di loro, non prendono con sé tipi che non conoscono... – e fermò lo sguardo su di me, con intenzione.

Era inutile tirarla in lungo: meglio se sputava il rospo subito. Feci un passo avanti. – Ce l'hai con me? – domandai.

– Ce l'ho con chi non sappiamo da chi è nato né da dove viene, e pretende di mangiare del nostro, e di corteggiare le nostre sorelle...

Qualcuno dei pescatori prese le mie difese: – Il Brutto la vita se la guadagna: è uno che lavora sodo...

– A portare tronchi sulla schiena sarà capace, non lo nego, – insisté Zahn, – ma in un momento di pericolo, quando dovessimo difenderci con le unghie e coi denti, chi ci garantisce che si comporterà come si deve?

Cominciò una discussione generale. Lo strano era che la possibilità che io fossi un Dinosauro non veniva mai presa in considerazione; la colpa che mi si imputava restava quella d'essere un Diverso, uno Straniero, quindi un Infido; e il punto controverso era quanto la mia presenza aumentasse il pericolo d'un eventuale ritorno dei Dinosauri.

– Vorrei vederlo in combattimento, con quella boccuccia da lucertola... – continua a provocarmi Zahn, sprezzante.

Gli venni sotto, brusco, naso a naso. – Puoi vedermi anche adesso, se non scappi.

Non se l'aspettava. Si guardò intorno. Gli altri fecero cerchio. Ora non restava che batterci.

Avanzai, scansai un suo morso torcendo il collo, già gli avevo avventato addosso una zampata che lo rivoltò a pancia all'aria, e gli fui sopra. Era una mossa sbagliata: come se non lo sapessi, come se non ne avessi visti morire, di Dinosauri, a unghiate e morsi nel petto e nel ventre, mentre credevano d'avere immobilizzato il nemico. Però la coda la sapevo usare ancora, per tenermi saldo; non volevo lasciarmi rovesciare a mia volta; facevo forza, ma sentivo che stavo per cedere...

Fu allora che uno del pubblico gridò: – Dài, forza, Dinosauro! – Apprendere che mi avevano smascherato e ritornare quello d'una volta fu tutt'uno: perduto per perduto tanto valeva che facessi loro riprovare l'antico spavento. E colpii Zahn una, due, tre volte...

Ci separarono. – Zahn, te l'avevamo detto: il Brutto ha muscoli. C'è poco da scherzare, col Brutto! – e ridevano e si congratulavano con me, mi battevano zampate sulle spalle. Io, che mi credevo ormai scoperto, non mi raccapezzavo; solo più tardi capii che l'apostrofe «Dinosauro» era un loro modo di dire, per incoraggiare i contendenti in una gara, come un: «Dài che sei il più forte!», e non era nemmeno chiaro se l'avessero gridato a me o a Zahn.

Da quel giorno fui più rispettato da tutti. Anche Zahn m'incoraggiava, mi stava dietro per vedermi fare nuove prove di forza. Devo dire che anche i loro discorsi abituali sui Dinosauri erano un po' cambiati, come succede quando ci si stanca di giudicare le cose sempre alla stessa maniera e la moda comincia a girare in un altro verso. Adesso, se volevano criticare qualcosa nel villaggio, avevano preso l'abitudine di dire che tra Dinosauri certe cose non sarebbero successe, che i Dinosauri in tante cose potevano dare l'esempio, che sul comportamento dei Dinosauri in questa o quella situazione (per esempio nella vita privata) non c'era niente da ridire, e così via. Insomma, pareva venir fuori quasi un'ammirazione postuma per questi Dinosauri di cui nessuno sapeva niente di preciso.

A me una volta venne da dire: – Non esageriamo: cosa credete che fosse un Dinosauro, poi poi?

Mi diedero sulla voce: – Zitto, cosa ne sai tu che non ne hai mai visti?

Forse era il momento giusto per cominciare a dire pane al pane. – Sì che ne ho visti, – esclamai, – e se volete vi posso anche spiegare com'erano!

Non mi credettero; pensavano che volessi prenderli in giro. Per me, questo loro nuovo modo di parlare dei Dinosauri era quasi altrettanto insopportabile che quello di prima. Perché – a parte il dolore che provavo per il crudele destino che aveva colpito la mia specie – io la vita dei Dinosauri la conoscevo dal di dentro, sapevo quanto tra noi dominasse una mentalità limitata, piena di pregiudizi, incapace di mettersi al passo con le situazioni nuove. E adesso dovevo vedere costoro prendere a modello quel nostro piccolo mondo così retrivo, così – diciamolo – noioso! Dovevo sentirmi imporre proprio da loro una sorta di sacro rispetto per la mia specie, che io non avevo mai provato! Ma in fondo era giusto che fosse così: questi Nuovi cos'avevano di tanto diverso dai Dinosauri dei bei tempi? Sicuri nel loro villaggio con le dighe e le peschiere, avevano tirato fuori anche loro una boria, una presunzione... Mi succedeva di provare verso di loro la stessa insofferenza che avevo avuto per il mio ambiente, e più li sentivo ammirare i Dinosauri più detestavo i Dinosauri e loro insieme.

– Sai, stanotte ho sognato che doveva passare un Dinosauro davanti a casa mia, – mi disse Fior di Felce, – un Dinosauro magnifico, un principe o un re dei Dinosauri. Io mi facevo bella, mi mettevo un nastro intorno al capo e m'affacciavo alla finestra. Cercavo d'attrarre l'attenzione del Dinosauro, gli facevo una riverenza, ma lui di me pareva non accorgersi nemmeno, non mi degnava d'uno sguardo...

Questo sogno mi diede una nuova chiave per comprendere lo stato d'animo di Fior di Felce nei miei confronti: la giovane doveva aver scambiato la mia timidezza per una disdegnosa superbia. Adesso, ripensandoci, capisco che mi sarebbe bastato insistere in quell'atteggiamento ancora per un poco, ostentare un altero distacco, e l'avrei completamente conquistata. Invece la rivelazione mi commosse tanto che mi gettai ai suoi piedi con le lagrime agli occhi, dicendo: – No, no, Fior di Felce, non è come tu credi, tu sei migliore di ogni Dinosauro, cento volte migliore, e io mi sento tanto inferiore a te...

Fior di Felce s'irrigidì, fece un passo indietro. – Ma cosa dici? – Non era quello che lei s'aspettava: era sconcertata e trovava la scena un po' sgradevole. Io lo capii troppo tardi; mi ricomposi in fretta ma un'atmosfera di disagio pesava ormai tra noi.

Non ci fu tempo per ripensarci, con tutto quello che successe poco dopo. Messaggeri trafelati raggiunsero il villaggio. – Tornano i Dinosauri! – Un branco di mostri sconosciuti era stato avvistato mentre correva inferocito nella pianura. Proseguendo di quel passo l'indomani all'alba avrebbe investito il villaggio. Fu dato l'allarme.

Potete immaginare la piena di sentimenti che mi si scatenò in petto alla notizia: la mia specie non era estinta, potevo ricongiungermi coi miei fratelli, ricominciare l'antica vita! Ma il ricordo dell'antica vita che mi tornava in mente era la serie interminabile delle sconfitte, delle fughe, dei pericoli; ricominciare significava forse soltanto un temporaneo supplemento a quell'agonia, il ritorno a una fase che m'illudevo d'aver già chiuso. Ormai avevo raggiunto, qui al villaggio, una specie di nuova tranquillità e mi rincresceva perderla.

Anche l'animo dei Nuovi era diviso tra sentimenti diversi. Da un lato il panico, dall'altro il desiderio di trionfare sul vecchio nemico, dall'altro ancora l'idea che se i Dinosauri erano sopravvissuti e ora avanzavano alla riscossa era segno che nessuno poteva fermarli, e che una loro vittoria, sia pur spietata, non era escluso potesse costituire un bene per tutti. I Nuovi volevano insomma nello stesso tempo difendersi, fuggire, sterminare il nemico, essere vinti; e questa incertezza si rifletteva nel disordine dei loro preparativi di difesa.

– Un momento! – gridò Zahn. – C'è uno solo tra noi in grado di prendere il comando! Il più forte di tutti noi, il Brutto!

– È vero! Deve essere il Brutto, a comandarci! – fecero coro gli altri. – Sì, sì, il comando al Brutto! – e si mettevano ai miei ordini.

– Ma no, come volete che io, uno straniero, non sono all'altezza... – mi schermivo. Non ci fu verso di convincerli.

Cosa dovevo fare? Quella notte non potei chiudere occhio. La voce del sangue mi imponeva di disertare e riunirmi ai miei fratelli; la lealtà verso i Nuovi che mi avevano accolto e ospitato e dato fiducia voleva invece che mi considerassi dalla loro parte; in più sapevo bene che né i Dinosauri né i Nuovi meritavano che si muovesse un dito per loro. Se i Dinosauri cercavano di ristabilire il loro dominio con invasioni e stragi, era segno che non avevano imparato niente dall'esperienza, che erano sopravvissuti solo per errore. E i Nuovi era chiaro che dando il comando a me avevano trovato la soluzione più comoda: lasciare tutte le responsabilità a uno

straniero, che poteva essere tanto il loro salvatore quanto, in
caso di sconfitta, un capro espiatorio da consegnare al nemico per rabbonirlo, quanto ancora un traditore che mettendoli
in mano del nemico realizzasse il loro sogno inconfessabile
d'essere dominati dai Dinosauri. Insomma, non volevo sa-
perne né degli uni né degli altri; che si scannassero a vicenda!; io me ne infischiavo di tutti loro. Dovevo scappare al
più presto, lasciarli cuocere nel loro brodo, non aver più a
che fare con queste vecchie storie.

Quella stessa notte, strisciando nel buio, lasciai il villaggio. Il primo impulso era allontanarmi il più possibile dal
campo di battaglia, tornare nei miei rifugi segreti; ma la curiosità fu più forte: rivedere i miei simili, sapere chi avrebbe
vinto. Mi nascosi in cima a certe rocce che dominavano l'ansa del fiume, e attesi l'alba.

Con la luce, all'orizzonte apparvero delle figure. Avanzavano alla carica. Già prima di distinguerle bene, potevo
escludere che mai Dinosauro avesse corso con così poca gra-
zia. Quando li riconobbi non sapevo se ridere o vergognar-
mi. Rinoceronti, un branco, dei primi, grossi e goffi e rozzi,
bernoccoluti di materia cornea, ma sostanzialmente inoffen-
sivi, dediti a brucare erbetta: ecco chi avevano scambiato per
gli antichi Re della Terra!

Il branco di rinoceronti galoppò con rumore di tuono, si
fermò a lambire certi cespugli, riprese a correre verso l'orizzonte senza nemmeno accorgersi delle postazioni dei pescatori.

Tornai di corsa al villaggio. – Non avete capito niente!
Non erano Dinosauri! – annunciai. – Rinoceronti: ecco co-
s'erano! Se ne sono già andati! Non c'è più pericolo! – E ag-
giunsi, per giustificare la mia diserzione notturna: – Io ero
uscito in esplorazione! Per spiare e riferirvi!

– Noi possiamo non aver capito che non erano Dinosauri,
– disse calmo Zahn, – però abbiamo capito che tu non sei un
eroe, – e mi voltò la schiena.

Certo, erano rimasti delusi: sui Dinosauri, su di me.

121

Adesso le loro storie di Dinosauri diventarono delle barzellette, in cui i terribili mostri apparivano come personaggi ridicoli. Io non mi sentivo piú toccato da questo loro spirito meschino. Ora riconoscevo la grandezza d'animo che ci aveva fatto scegliere di scomparire piuttosto che abitare un mondo non più per noi. Se io sopravvivevo era solo perché un Dinosauro continuasse a sentirsi tale in mezzo a questa gentucola che mascherava con banali canzonature la paura da cui era ancora dominata. E che altra scelta poteva presentarsi ai Nuovi se non tra derisione e paura?

Fior di Felce rivelò un atteggiamento diverso raccontandomi un sogno: – C'era un Dinosauro, buffo, verde verde, e tutti lo prendevano in giro, gli tiravano la coda. Allora io mi feci avanti, lo protessi, lo portai via, lo carezzai. E mi accorsi che, ridicolo com'era, era la più triste delle creature, e dai suoi occhi gialli e rossi scorreva un fiume di lagrime.

Cosa mi prese, a quelle parole? Una repulsione a identificarmi con le immagini del sogno, il rifiuto d'un sentimento che sembrava esser diventato di pietà, l'insofferenza all'idea diminuita che tutti loro si facevano della dignità dinosaura? Ebbi uno scatto di superbia, mi irrigidii e le buttai in faccia poche frasi sprezzanti: – Perché mi annoi con questi tuoi sogni sempre più infantili! Non sai sognare altro che melensaggini!

Fior di Felce scoppiò in lagrime. Io mi allontanai con una scrollata di spalle.

Questo successe sulla diga; non eravamo soli; i pescatori non avevano udito il nostro dialogo ma s'erano accorti del mio scatto e delle lagrime della giovane.

Zahn si sentì in dovere d'intervenire. – Ma chi ti credi d'essere, – fece, con voce agra, – per mancare di rispetto a mia sorella?

Mi fermai e non risposi. Se voleva battersi, ero pronto. Ma lo stile del villaggio negli ultimi tempi era cambiato: mettevano tutto in burletta. Dal gruppo dei pescatori uscì un gridolino in falsetto: – Va' là, va là, Dinosauro! – Era questa, lo sapevo bene, un'espressione scherzosa entrata ultimamente nell'uso, per dire: «Abbassa la cresta, non esagerare», e così via. Ma a me mosse qualcosa nel sangue.

– Sì, lo sono, se volete saperlo, – gridai, – un Dinosauro, proprio così! Se non ne avete mai visti, di Dinosauri, ecco, guardatemi!

Scoppiò una sghignazzata generale.

– Io ne ho visto uno ieri, – disse un vecchio, – è uscito dalla neve –. Attorno a lui si fece subito silenzio.

Il vecchio tornava da un viaggio sulle montagne. Il disgelo aveva fuso un vecchio ghiacciaio e uno scheletro di Dinosauro era venuto alla luce.

La voce si propagò per il villaggio. – Andiamo a vedere il Dinosauro! – Tutti corsero su per la montagna, e io con loro.

Superata una morena di sassi, tronchi divelti, fango e carcasse d'uccelli, s'apriva una valletta a conca. Un primo velo di licheni inverdiva le rocce liberate dal gelo. In mezzo, disteso come se dormisse, col collo allungato dagli intervalli delle vertebre, la coda disseminata in una lunga linea serpentina, giaceva uno scheletro di Dinosauro gigantesco. La cassa toracica si arcuava come una vela e quando il vento batteva sui listelli piatti delle costole pareva che ancora le pulsasse dentro un cuore invisibile. Il cranio era girato in una posizione stravolta, a bocca aperta come per un estremo grido.

I Nuovi corsero fin lì vociando festosi: di fronte al cranio si sentirono fissati dalle occhiaie vuote; rimasero a qualche passo di distanza, silenziosi; poi si voltarono e ripresero la loro stolta baldoria. Sarebbe bastato che uno di loro passasse con lo sguardo dallo scheletro a me, mentr'ero fermo a contemplarlo, e si sarebbe accorto che eravamo identici. Ma nessuno lo fece. Quelle ossa, quelle zanne, quegli arti sterminatori, parlavano un linguaggio ormai illeggibile, non dicevano più nulla a nessuno, tranne quel vago nome rimasto senza legame con le esperienze del presente.

123

Io continuavo a guardare lo scheletro, il Padre, il Fratello, l'uguale a me, il Me Stesso; riconoscevo le mie membra spolpate, i miei lineamenti incisi nella roccia, tutto quello che eravamo stati e non eravamo più, la nostra maestà, le nostre colpe, la nostra rovina.

Ora queste spoglie sarebbero servite ai nuovi distratti occupatori del pianeta per segnare un punto del paesaggio, avrebbero seguito il destino del nome «Dinosauro» divenuto un opaco suono senza senso. Non dovevo permetterlo. Tutto quel che riguardava la vera natura dei Dinosauri doveva rimanere occulto. Nella notte, mentre i Nuovi dormivano intorno allo scheletro imbandierato, trasportai e seppellii vertebra per vertebra il mio Morto.

Al mattino i Nuovi non trovarono più traccia dello scheletro. Non se ne preoccuparono a lungo. Era un nuovo mistero che s'aggiungeva ai tanti misteri connessi ai Dinosauri. Lo scacciarono presto dalle loro menti.

Ma l'apparizione dello scheletro lasciò una traccia, in quanto in tutti loro l'idea dei Dinosauri restò legata a quella d'una triste fine, e nelle storie che raccontavano ora dominava un accento di commiserazione, di pena per le nostre sofferenze. Di questa loro pietà io non sapevo che farmene. Pietà di cosa? Se mai specie aveva avuto un'evoluzione piena e ricca, un regno lungo e felice, quelli eravamo stati noi. La nostra estinzione era stata un epilogo grandioso, degno del nostro passato. Cosa potevano capirne questi sciocchi? Ogni volta che li sentivo fare del sentimentalismo sui poveri Dinosauri mi veniva da prenderli in giro, da raccontare storie inventate e inverosimili. Tanto ormai la verità sui Dinosauri non sarebbe più stata compresa da nessuno, era un segreto che avrei custodito solo per me.

Lo vagabondo

Una truppa di girovaghi si fermò al villaggio. Era in mezzo a loro una giovane. Trasalii, vedendola. Se i miei occhi non s'ingannavano, quella non aveva nelle vene solo il sangue dei Nuovi: era una mulatta, una mulatta dinosaura. Se ne rendeva conto? No di certo, a giudicare da quant'era disinvolta. Forse non uno dei genitori, ma uno dei nonni o dei bisnonni o dei trisavoli era stato dinosauro, e i caratteri, le movenze della nostra progenie tornavano a mostrarsi in lei con un piglio quasi sfacciato, ormai irriconoscibili a tutti, lei compresa. Era una creatura graziosa e allegra; ebbe subito un gruppo di corteggiatori dietro, e tra loro il più assiduo e innamorato era Zahn.

Cominciava l'estate. La gioventù dava una festa sul fiume.

– Vieni con noi! – mi invitò Zahn, che dopo tante risse cercava d'essermi amico; poi subito riprese a nuotare a fianco della Mulatta. Mi avvicinai a Fior di Felce. Forse era venuto il momento di spiegarci, di trovare un'intesa. – Cos'hai sognato, stanotte? – chiesi, per attaccar discorso.

Restò a capo chino. – Ho visto un Dinosauro ferito che si contorceva nell'agonia. Reclinava il capo nobile e delicato, e soffriva, soffriva... Io lo guardavo, non sapevo staccare gli occhi da lui, e m'accorsi che provavo un sottile piacere a vederlo soffrire...

Le labbra di Fior di Felce erano tese in una piega cattiva, che non avevo mai notato in lei. Avrei voluto solo dimostrarle che in quel suo gioco di sentimenti ambigui e cupi io non entravo: ero uno che si gode la vita, ero l'erede d'una schiatta felice. Mi misi a ballare intorno a lei, le spruzzai addosso l'acqua del fiume agitando la coda.

– Sei capace solo di fare discorsi tristi! – dissi, frivolo. – Piantala, vieni a ballare!

Non mi capì. Fece una smorfia.

– E se non balli con me, ballerò con un'altra! – esclamai. Presi per una zampa la Mulatta, portandola via di sotto al naso di Zahn, che dapprima la guardò allontanarsi senza capire, tant'era assorto nella sua contemplazione amorosa, poi fu preso da un soprassalto di gelosia. Troppo tardi: io e la Mulatta già ci eravamo tuffati nel fiume e nuotavamo verso l'altra riva, per nasconderci nei cespugli.

Forse volevo solo dare a Fior di Felce una prova di chi io veramente ero, smentire le idee sempre sbagliate che si era fatta di me. E forse anche ero mosso da un vecchio rancore verso Zahn, volevo ostentatamente respingere la sua nuova profferta d'amicizia. Oppure, più di tutto erano le forme familiari eppure insolite della Mulatta che mi davano la voglia di un rapporto naturale, diretto, senza pensieri segreti, senza ricordi.

La carovana dei girovaghi sarebbe ripartita al mattino. La Mulatta acconsentì a passare la notte nei cespugli. Restai ad amoreggiare con lei fino all'alba.

Questi non erano che episodi effimeri di una vita peraltro tranquilla e scarsa d'avvenimenti. Avevo lasciato affondare nel silenzio la verità su di me e sull'era del nostro regno. Ormai dei Dinosauri non si parlava quasi più; forse nessuno credeva piú che fossero esistiti. Anche Fior di Felce aveva smesso di sognarli.

Quando lei mi raccontò: – Ho sognato che in una caverna c'era l'unico rimasto di una specie di cui nessuno ricordava il nome, e io andavo a chiederglielo, e c'era buio, e sapevo che era là, e non lo vedevo, e sapevo bene chi era e com'era fatto ma non avrei saputo dirlo, e non capivo se era lui che rispondeva alle mie domande o io alle sue... – fu per me il segno che era finalmente cominciata un'intesa amorosa tra noi, come avevo desiderato da quando m'ero fermato la prima volta alla fontana e ancora non sapevo se m'era concesso di sopravvivere.

Da allora avevo imparato tante cose, e soprattutto il modo in cui i Dinosauri vincono. Prima, avevo creduto che lo scomparire fosse stato per i miei fratelli la magnanima accettazione d'una sconfitta; ora sapevo che i Dinosauri quanto più scompaiono tanto più estendono il loro dominio, e su foreste ben più sterminate di quelle che coprono i continenti: nell'intrico dei pensieri di chi resta. Dalla penombra delle paure e dei dubbi di generazioni ormai ignare, continuavano

126

a protendere i loro colli, a sollevare la loro zampe artigliate, e quando l'ultima ombra della loro immagine s'era cancellata, il loro nome continuava a sovrapporsi a tutti i significati, a perpetuare la loro presenza nei rapporti tra gli esseri viventi. Adesso, cancellato anche il nome, li aspettava il diventare una cosa sola con gli stampi muti e anonimi del pensiero, attraverso i quali prendono forma e sostanza le cose pensate: dai Nuovi, e da coloro che sarebbero venuti dopo i Nuovi, e da quelli che verranno dopo ancora.

Mi guardai intorno: il villaggio che m'aveva visto arrivare straniero, ora ben potevo dirlo mio, e dire mia Fior di Felce: al modo in cui un Dinosauro può dirlo. Per questo, con un silenzioso cenno di saluto m'accomiatai da Fior di Felce, lasciai il villaggio, me ne andai per sempre.

Per via guardavo gli alberi, i fiumi e i monti e non sapevo più distinguere quelli che c'erano ai tempi dei Dinosauri e quelli che erano venuti dopo. Attorno a certe tane erano accampati dei girovaghi. Riconobbi di lontano la Mulatta, sempre piacente, appena un po' ingrassata. Per non essere visto riparai nel bosco e la spiai. La seguiva un figlioletto appena in grado di correre sulle gambe scodinzolando. Da quanto tempo non vedevo un piccolo Dinosauro così perfetto, così pieno della propria essenza di dinosauro, e così ignaro di ciò che il nome Dinosauro significa?

Lo attesi in una radura del bosco per vederlo giocare, rincorrere una farfalla, sbattere una pigna contro una pietra per cavarne i pinoli. M'avvicinai. Era proprio mio figlio.

Mi guardò curioso. – Chi sei? – domandò.

– Nessuno, – feci. – E tu, lo sai chi sei?

– O bella! Lo sanno tutti: sono un Nuovo! – disse.

Era proprio quello che attendevo di sentirmi dire. Lo carezzai sul capo, gli dissi – Bravo, – e me ne andai.

Percorsi valli e pianure. Raggiunsi una stazione, presi il treno, mi confusi con la folla.

La forma dello spazio

*Le equazioni del campo gravitazionale che mettono in relazione
la curvatura dello spazio con la distribuzione della materia stanno
già entrando a far parte del senso comune.*

Cadere nel vuoto come cadevo io, nessuno di voi sa cosa
vuol dire. Per voi cadere è sbattersi giù magari dal ventesi-
mo piano d'un grattacielo, o da un aeroplano che si guasta
in volo: precipitare a testa sotto, annaspare un po' nell'aria,
ed ecco che la terra è subito lì, e ci si piglia una gran botta.
Io vi parlo invece di quando non c'era sotto nessuna terra né
nient'altro di solido, neppure un corpo celeste in lontananza
capace d'attirarti nella sua orbita. Si cadeva così, indefinita-
mente, per un tempo indefinito. Andavo giù nel vuoto fino
all'estremo limite in fondo al quale è pensabile che si possa
andar giù, e una volta lì vedevo che quell'estremo limite doveva essere molto ma molto più sotto, lontanissimo, e continuavo a cadere per raggiungerlo. Non essendoci punti di riferimento, non avevo idea se la mia caduta fosse precipitosa
o lenta. Ripensandoci, non c'erano prove nemmeno che stessi veramente cadendo: magari ero sempre rimasto immobile
nello stesso posto, o mi muovevo in senso ascendente; dato
che non c'era né un sopra né un sotto queste erano solo questioni nominali e tanto valeva continuare a pensare che ca-
dessi, come veniva naturale di pensare.
Ammesso dunque che si cadesse, si cadeva tutti con la
stessa velocità senza sbalzi; infatti eravamo sempre pressapo-

131

co alla stessa altezza, io, Ursula H'x, il Tenente Fenimore. Non levavo gli occhi di dosso a Ursula H'x perché era molto bella da vedere, e aveva nel cadere un atteggiamento sciolto e rilassato: speravo che mi riuscisse qualche volta a intercettare il suo sguardo, ma Ursula H'x cadendo era sempre intenta a limarsi e lucidarsi le unghie o a passarsi il pettine nei capelli lunghi e lisci, e non volgeva mai gli occhi verso di me. Verso il Tenente Fenimore nemmeno, devo dire, nonostante lui facesse di tutto per attrarne l'attenzione.

Una volta lo sorpresi – credeva che io non vedessi – mentre faceva dei segni a Ursula H'x: prima sbatteva i due indici tesi uno contro l'altro, poi faceva un gesto rotatorio con una mano, poi indicava in giù. Insomma pareva alludesse a una intesa con lei, a un appuntamento per più tardi, in una qualche località là sotto dove si sarebbero incontrati. Tutte storie, lo sapevo benissimo: non c'erano incontri possibili tra noi, perché le nostre cadute erano parallele e tra noi restava sempre la medesima distanza. Ma che il Tenente Fenimore si mettesse in testa idee del genere – e cercasse di metterle in testa a Ursula H'x – bastava a darmi ai nervi; con tutto che lei non gli desse retta, anzi facesse con le labbra un lieve strombettio, rivolgendosi – mi pareva non ci fossero dubbi – proprio a lui. (Ursula H'x cadeva rivoltolandosi su se stessa con movimenti pigri come se si crogiolasse nel suo letto ed era difficile dire se un suo gesto era rivolto a qualcuno piuttosto che a qualcunaltro o se stava giocherellando per conto suo come d'abitudine.)

Anch'io, naturalmente, non sognavo altro che d'incontrare Ursula H'x, ma dato che nella mia caduta seguivo una retta assolutamente parallela a quella che seguiva lei, mi pareva fuori luogo manifestare un desiderio irrealizzabile. Certo, a voler essere ottimista, restava sempre la possibilità che, continuando le nostre due parallele all'infinito, venisse il momento in cui si sarebbero toccate. Quest'eventualità bastava a darmi qualche speranza, anzi: a tenermi in una continua eccitazione. Vi dirò che un incontro delle nostre parallele io l'avevo tanto sognato, in tutti i suoi particolari, che esso faceva ormai parte della mia esperienza come se l'avessi già vissuto. Tutto sarebbe avvenuto da un momento all'altro, con semplicità e naturalezza: dopo tanto andar separati senza poterci avvicinare d'un palmo, dopo tanto averla sentita estranea, prigioniera del suo tragitto parallelo, ecco che la consistenza dello spazio, da impalpabile che era sempre stata, si sarebbe fatta più tesa e nello stesso tempo più molle, un infittirsi del vuoto che sarebbe parso venire non da fuori ma da dentro di noi, e avrebbe stretto insieme me e Ursula H'x (già mi bastava chiudere gli occhi per vederla venire avanti, in un atteggiamento che sapevo suo anche se diverso da tutti gli atteggiamenti a lei soliti: le braccia tese all'in giù, aderenti ai fianchi, torcendo i polsi come se si stirasse e nello stesso tempo accennasse a un divincolamento che era anche una maniera quasi serpentina di protendersi) ed ecco che la linea invisibile che percorrevo io e quella che lei percorreva sarebbero diventate una sola linea, occupata da una mescolanza di lei e di me dove quanto di lei era morbido e segreto veniva penetrato, anzi, avvolgeva e quasi direi risucchiava quanto di me con più tensione era andato fin lì soffrendo d'essere solo e separato e asciutto.

Succede ai sogni più belli di trasformarsi a un tratto in incubi e così a me veniva adesso in mente che il punto d'incontro delle due nostre parallele poteva essere quello in cui s'incontrano tutte le parallele esistenti nello spazio, e allora non di me e di Ursula H'x soli avrebbe segnato l'incontro ma pure – prospettiva esecrabile! – del Tenente Fenimore. Nel momento stesso in cui Ursula H'x avrebbe cessato d'essermi estranea, un estraneo con i suoi sottili baffetti neri si sarebbe trovato a condividere le nostre intimità in modo inestricabile: questo pensiero bastava a gettarmi nelle più strazianti allucinazioni della gelosia: sentivo il grido che il nostro incontro – di me e di lei – ci strappava fondersi in un unisono spasmodicamente gioioso ed ecco che – agghiacciavo al presentimento! – da esso si staccava lancinante il grido di lei violata – cosí nella mia astiosa parzialità immaginavo – alle spalle, e nello stesso tempo il grido di volgare trionfo del Tenente, ma forse – e qui la mia gelosia raggiungeva il delirio – questi loro gridi – di lei e di lui – potevano anche non essere così diversi e dissonanti, potevano raggiungere essi pure un unisono, sommarsi in un unico grido addirittura di piacere, distinguendosi dal grido dirotto e disperato che sarebbe sgorgato dalle mie labbra.

In questo alternarsi di speranze e apprensioni continuavo la mia caduta, senza però smettere di scrutare nelle profondità dello spazio se mai qualcosa annunciasse un cambiamento attuale o futuro della nostra condizione. Un paio di volte riuscii ad avvistare un universo, ma era lontano e si vedeva piccolo piccolo, molto in là sulla destra o sulla sinistra; facevo appena a tempo a distinguere un certo numero di galassie come puntini luccicanti raggruppati in ammassi sovrapposti che ruotavano con un flebile ronzio, e già tutto era dileguato com'era apparso, verso l'alto o di lato, tanto da restare nel dubbio che fosse stato un barbaglio della vista. _glare_

– Là! Guarda! Là c'è un universo! Guarda là! Là c'è roba! – gridavo a Ursula H'x facendo segno in quella direzione, ma lei, la lingua stretta tra i denti, era tutta intenta a carezzarsi la pelle liscia e tersa delle gambe alla ricerca di rarissimi e quasi invisibili peli superflui da sradicare con un secco strappo delle unghie a pinza, e il solo segno che avesse inteso il mio richiamo poteva essere il modo in cui tendeva una gamba verso l'alto, come a sfruttare – si sarebbe detto – per la sua metodica ispezione il po' di luce che riverberasse da quel lontano firmamento.

Inutile dire quanto disdegno il Tenente Fenimore ostentava in questi casi verso quel che io potevo aver scoperto: dava un'alzata di spalle – che gli faceva sobbalzare le spalline, la bandoliera e le decorazioni di cui era inutilmente bardato – e _shaking_ si voltava dalla parte opposta ridacchiando. Salvo a esser lui (quando era certo che io guardavo da un'altra parte) che per destare la curiosità di Ursula (e allora era il mio turno, di ridere, vedendo che lei, per tutta risposta, si rigirava su se stessa in una specie di capriola voltando verso di lui il didietro: una mossa indubbiamente poco riguardosa ma pur bella da vedersi, tanto che io dopo essermene rallegrato come d'un'umiliazione per il mio rivale mi sorprendevo a invidiarlo come d'un privilegio) indicava un labile punto in fuga per lo spazio sbraitando: – Là! Là! Un universo! Grosso così! L'ho visto! È un universo!

Non dico che mentisse: affermazioni del genere, per quel che so, potevano essere tanto vere che false. Che ogni tanto noi passassimo al largo d'un universo, era provato (oppure che un universo passasse al largo rispetto a noi), ma non si capiva se erano tanti universi seminati per lo spazio o se era sempre lo stesso universo che continuavamo a incrociare ruotando in una misteriosa traiettoria, o se invece non c'era nessun universo e quello che credevamo di vedere era il miraggio d'un universo che forse era esistito una volta e la cui immagine continuava a rimbalzare sulle pareti dello spazio come il rimbombo d'un'eco. Ma poteva anche darsi che gli universi fossero sempre stati lì, fitti intorno a noi, e non si sognassero di muoversi, e noi neppure ci muovevamo, e tutto era fermo per sempre, senza tempo, in un buio punteggiato solo da rapidi scintillii quando qualcosa o qualcuno riusciva per un momento a spiccicarsi da quella torpida assenza di tempo e accennare la parvenza d'un movimento.

Tutte ipotesi ugualmente degne d'esser prese in considerazione, e di cui m'interessava solo quel tanto che riguardava la nostra caduta e il riuscire o meno a toccare Ursula H'x. Insomma, nessuno ne sapeva niente. E allora, perché quel presuntuoso di Fenimore prendeva alle volte un'aria superiore, come di chi è sicuro del fatto suo? S'era accorto che quando voleva farmi arrabbiare il sistema più sicuro era fingere d'avere con Ursula H'x una familiarità di vecchia data. A un certo punto Ursula prendeva a venir giù dondolandosi, a ginocchia unite, spostando il peso del corpo in qua o in là, come ondeggiando in uno zigzag sempre più ampio: tutto per ingannare la noia di quell'interminabile caduta. E il Tenente allora si metteva anche lui a ondeggiare, cercando di prendere lo stesso ritmo di lei, come seguisse la stessa pista invisibile, anzi come ballasse al suono di una stessa musica udibile solo da loro due, che lui faceva addirittura finta di fischiettare, e mettendoci, solo lui, una specie di sottinteso, d'allusione a un gioco tra vecchi compagni di baldorie. Era tutto un bluff, figuriamoci se non lo sapevo, ma bastava a mettermi per il capo l'idea che un incontro tra Ursula H'x e il Tenente Fenimore poteva esser già avvenuto, chissà quanto tempo prima, all'origine delle loro traiettorie, e quest'idea mi dava un morso doloroso, come un'ingiustizia commessa ai miei danni. Riflettendoci, però, se Ursula e il Tenente avevano un tempo occupato lo stesso punto dello spazio, era segno che le rispettive linee di caduta s'erano andate allontanando e presumibilmente continuavano ad allontanarsi. Ora, in questo lento ma continuo allontanamento dal Tenente, niente di più facile che Ursula s'avvicinasse a me; quindi il Tenente aveva poco da andar fiero delle sue passate intrinsichezze: il futuro era a me che sorrideva.

Il ragionamento che mi portava a questa conclusione non bastava a tranquillizzarmi intimamente: l'eventualità che Ursula H'x avesse già incontrato il Tenente era di per sé un torto che se mi era stato fatto non poteva più esser riscattato. Devo aggiungere che passato e futuro erano per me termini vaghi, tra i quali non riuscivo a fare distinzione: la mia memoria non andava più in là dell'interminabile presente della nostra caduta parallela, e ciò che poteva esserci stato prima, dato che non si poteva ricordare, apparteneva allo stesso mondo immaginario del futuro, e col futuro si confondeva. Così io potevo anche supporre che se mai due parallele erano partite dallo stesso punto, queste fossero le linee che seguivamo io e Ursula H'x (in questo caso era la nostalgia d'una medesimezza perduta che nutriva il mio ansioso desiderio d'incontrarla); però a quest'ipotesi io riluttavo a dar credito, perché poteva implicare un nostro allontanamento progressivo e forse un approdo di lei tra le braccia gallonate del Tenente Fenimore, ma soprattutto perché non sapevo uscire dal presente se non per immaginarmi un presente diverso, e tutto il resto non contava.

Forse era questo il segreto: immedesimarsi tanto nel proprio stato di caduta da riuscire a capire che la linea seguita cadendo non era quella che sembrava ma un'altra, ossia riuscire a cambiare quella linea nell'unico modo in cui poteva essere cambiata cioè facendola diventare quale era veramente sempre stata. Ma non fu concentrandomi su me stesso che mi venne quest'idea, bensì osservando con occhio innamorato Ursula H'x quant'era bella anche vista da dietro, e notando, nel momento in cui passavamo in vista d'un lontanissimo sistema di costellazioni, un inarcarsi della schiena e una specie di guizzo del sedere, ma non tanto del sedere in sé quanto uno slittamento esterno che pareva strusciasse contro il sedere e provocasse una reazione non antipatica da parte del sedere stesso. Bastò questa fuggevole impressione a farmi vedere la situazione in modo nuovo: se era vero che lo spazio con qualcosa dentro è diverso dallo spazio vuoto perché la materia vi provoca una curvatura o tensione che obbliga tutte le linee in esso contenute a tendersi o curvarsi, allora la linea che ognuno di noi seguiva era una retta nel solo modo in cui una retta può essere retta cioè deformandosi di quanto la limpida armonia del vuoto generale è deformata dall'ingombro della materia, ossia attorcigliandosi tutto in giro a questo gnocco o porro o escrescenza che è l'universo nel mezzo dello spazio.

Il mio punto di riferimento era sempre Ursula e difatti un certo suo andare come volteggiando poteva rendere più familiare l'idea che la nostra caduta fosse un avvitarci e disavvitarci in una specie di spirale che un po' si stringeva e un po' s'allargava. Però queste sbandate Ursula le prendeva – a guardar bene – ora in un senso ora in un altro, quindi il disegno che tracciavamo era più complicato. L'universo andava dunque considerato non un rigonfiamento grossolano piantato lì come una rapa, ma come una figura spigolosa e puntuta in cui a ogni rientranza o saliente o sfaccettatura corrispondevano cavità e bugne e dentellature dello spazio e delle linee da noi percorse. Questa era però ancora un'immagine schematica, come se avessimo a che fare con un solido dalle pareti lisce, una compenetrazione di poliedri, un aggregato di cristalli; in realtà lo spazio in cui ci muovevamo era tutto merlato e traforato, con guglie e pinnacoli che si irradiavano da ogni parte, con cupole e balaustre e peristili, con bifore e trifore e rosoni, e noi mentre ci sembrava di piombar giù dritto in realtà scorrevamo sul bordo di modanature e fregi invisibili, come formiche che per attraversare una città seguono percorsi tracciati non sul selciato delle vie ma lungo le pareti e i soffitti e le cornici e i lampadari. Ora dire città equivale ad avere ancora in testa figure in qualche modo regolari, con angoli retti e proporzioni simmetriche, mentre invece dovremmo tener sempre presente come lo spazio si frastaglia intorno a ogni albero di ciliegio e a ogni foglia d'ogni ramo che si muove al vento, e a ogni seghettatura del margine d'ogni foglia, e pure si modella su ogni nervatura di foglia, e sulla rete delle venature all'interno della foglia e sulle trafitture di cui in ogni momento le frecce della luce le crivellano, tutto stampato in negativo nella pasta del vuoto, in modo che non c'è cosa che non vi lasci la sua orma, ogni orma possibile di ogni cosa possibile, e insieme ogni trasformazione di queste orme istante per istante, cosicché il brufolo che cresce sul naso d'un califfo o la bolla di sapone che si posa sul seno d'una lavandaia cambiano la forma generale dello spazio in tutte le sue dimensioni.

Mi bastò capire che lo spazio era fatto in questo modo per accorgermi che vi s'insaccavano certe cavità morbide e accoglienti come amache in cui io mi potevo ritrovare congiunto con Ursula H'x e dondolare insieme a lei mordendoci vicendevolmente per tutta la persona. Le proprietà dello spazio infatti erano tali che una parallela prendeva da una parte e una dall'altra, io per esempio precipitavo dentro una caverna tortuosa mentre Ursula H'x veniva risucchiata in un cunicolo comunicante con quella stessa caverna di modo che ci ritrovavamo a rotolare insieme su un tappeto d'alghe in una specie d'isola subspaziale intrecciandoci in tutte le pose e i capovolgimenti, finché a un tratto le nostre due traiettorie riprendevano la loro andatura rettilinea e proseguivano ognuna per conto suo come se niente fosse stato.

La grana dello spazio era porosa e accidentata da crepe e dune. Facendo ben attenzione, potevo accorgermi di quando il percorso del Tenente Fenimore passava in fondo a un canyon stretto e tortuoso; allora mi appostavo sull'alto d'uno strapiombo e al momento giusto mi buttavo sopra di lui badando di colpirlo con tutto il mio peso sulle vertebre cervicali. Il fondo di questi precipizi del vuoto era pietroso come il letto d'un torrente in secca, e tra due spunzoni di roccia che affioravano il Tenente Fenimore stramazzando restava con la testa incastrata e io già gli premevo un ginocchio nello stomaco ma lui intanto stava schiacciandomi le falangi contro le spine d'un cactus – o il dorso d'un'istrice? – (spine comunque di quelle che corrispondono a certe aguzze contrazioni dello spazio) perché non riuscissi a impadronirmi della pistola che gli avevo fatto cadere con un calcio. Non so come mi trovai un istante dopo con la testa affondata nella granulosità soffocante degli strati in cui lo spazio cede sfaldandosi come sabbia; sputai, stordito e accecato; Fenimore era riuscito a raccattare la sua pistola; una pallottola mi fischiò all'orecchio, deviata da una proliferazione del vuoto che s'elevava in forma di termitaio. E già io gli ero addosso con le mani alla gola per strozzarlo, ma le mani mi sbatterono l'una contro l'altra con un «paff!»: le nostre vie erano tornate a essere parallele e io e il Tenente Fenimore scendevamo tenendo le nostre consuete distanze e voltandoci ostentatamente la schiena come due che fanno finta di non essersi mai visti né conosciuti.

Quelle che potevano essere pure considerate linee rette unidimensionali erano simili in effetti a righe di scrittura corsiva tracciate su una pagina bianca da una penna che sposta parole e pezzi di frase da una riga all'altra con inserimenti e rimandi nella fretta di finire un'esposizione condotta attraverso approssimazioni successive e sempre insoddisfacenti, e così ci inseguivamo, io e il Tenente Fenimore, nascondendoci dietro gli occhielli delle «l», specie le «l» della parola «parallele», per sparare e proteggerci dalle pallottole e fingerci morti e attendere che passi Fenimore per fargli lo sgambetto e trascinarlo per i piedi facendogli sbattere il mento contro il fondo delle «v» e delle «u» e delle «m» e delle «n» che scritte in corsivo tutte uguali diventano un sobbalzante susseguirsi di buche sul selciato per esempio nell'espressione «universo unidimensionale» lasciandolo steso in un punto tutto calpestato dalle cancellature e di lì rialzarmi lordo d'inchiostro raggrumato e correre verso Ursula H'x la quale vorrebbe far la furba infilandosi dentro i fiocchi della «effe» che si affinano finché diventano filiformi, ma io la prendo per i capelli e la piego contro una «d» o una «t» così come le scrivo io adesso nella fretta, inclinate che ci si può sdraiare sopra, poi ci scaviamo una nicchia giù nel «g», nel «g» di «giù», una tana sotterranea che si può a piacere adattare alle nostre dimensioni o rendere più raccolta e quasi invisibile oppure disporre più in senso orizzontale per starci bene coricati. Mentre naturalmente le stesse righe anziché successioni di lettere e di parole possono benissimo essere srotolate nel loro filo nero e tese in linee rette continue parallele che non significano altro che se stesse nel loro continuo scorrere senza incontrarsi mai così come non ci incontriamo mai nella nostra continua caduta io, Ursula H'x, il Tenente Fenimore, tutti gli altri.

Gli anni-luce

Quanto una galassia è più distante, tanto più velocemente s'allontana da noi. Una galassia che si trovasse a 10 miliardi d'anni-luce da noi, avrebbe una velocità di fuga pari a quella della luce, 300 mila chilometri al secondo. Già le «quasi-stelle» (quasars) scoperte di recente sarebbero vicine a questa soglia.

Una notte osservavo come al solito il cielo col mio telescopio. Notai che da una galassia lontana cento milioni d'anni-luce sporgeva un cartello. C'era scritto: TI HO VISTO. Feci rapidamente il calcolo: la luce della galassia aveva impiegato cento milioni d'anni a raggiungermi e siccome di lassù vedevano quello che succedeva qui con cento milioni d'anni di ritardo, il momento in cui mi avevano visto doveva risalire a duecento milioni d'anni fa.

Prima ancora di controllare sulla mia agenda per sapere cosa avevo fatto quel giorno, ero stato preso da un presentimento agghiacciante: proprio duecento milioni d'anni prima, né un giorno di più né un giorno di meno, m'era successo qualcosa che avevo sempre cercato di nascondere. Speravo che col tempo l'episodio fosse completamente dimenticato; esso contrastava nettamente – almeno così mi sembrava – con il mio comportamento abituale di prima e di dopo tale data: cosicché, se mai qualcuno avesse tentato di rivangare quella storia, mi sentivo di smentirlo con tutta tranquillità, e non solo perché gli sarebbe stato impossibile portare delle prove, ma anche perché un fatto determinato da casi tanto eccezionali – anche se si era effettivamente verificato – era così poco probabile da poter essere in piena buona fede considerato non vero anche da me stesso. Ecco invece che da un lontano corpo celeste qualcuno mi aveva visto e la storia tornava a saltar fuori proprio ora.

Naturalmente ero in grado di spiegare tutto quel che era successo, e come era potuto succedere, e di rendere comprensibile, se non del tutto giustificabile, il mio modo d'agire. Pensai di rispondere subito anch'io con un cartello, impiegando una formula difensiva come LASCIATE CHE VI SPIEGHI oppure AVREI VOLUTO VEDERE VOI AL MIO POSTO, ma questo non sarebbe bastato e il discorso da fare sarebbe stato troppo lungo per una scritta sintetica che risultasse leggibile a tanta distanza. E soprattutto dovevo stare attento a non fare passi falsi, ossia a non sottolineare con una mia esplicita ammissione ciò a cui il TI HO VISTO si limitava ad alludere. Insomma, prima di lasciarmi andare a una qualsiasi dichiarazione avrei dovuto sapere esattamente cosa dalla galassia avevano visto e cosa no: e per questo non c'era che domandarlo con un cartello del tipo: MA HAI VISTO PROPRIO TUTTO O APPENA UN PO'? oppure VEDIAMO SE DICI LA VERITÀ: COSA FACEVO?, poi aspettare il tempo che ci voleva perché di là vedessero la mia scritta, e il tempo altrettanto lungo perché io vedessi la loro risposta e potessi provvedere alle necessarie rettifiche. Il tutto avrebbe preso altri duecento milioni d'anni, anzi qualche milione d'anni in più, perché le immagini andavano e venivano con la velocità della luce, le galassie continuavano ad allontanarsi tra loro e così anche quella costellazione adesso non era già più dove la vedevo io ma un po' più in là, e l'immagine del mio cartello doveva correrle dietro. Insomma, era un sistema lento, che m'avrebbe obbligato a ridiscutere, dopo più di quattrocento milioni d'anni da quand'erano successi, avvenimenti che avrei voluto far dimenticare nel più breve tempo possibile.

La migliore linea di condotta che mi si offriva era far finta di niente, minimizzare la portata di quel che potevano esser venuti a sapere. Perciò mi affrettai a esporre bene in vista un cartello su cui avevo scritto semplicemente: E CON CIÒ? Se quelli della galassia avevano creduto di mettermi in imbarazzo col loro TI HO VISTO, la mia calma li avrebbe sconcertati, e si sarebbero convinti che non era il caso di soffermarsi su quell'episodio. Se invece non avevano in mano molti elementi a mio carico, un'espressione indeterminata come E CON CIÒ? sarebbe servita da cauto sondaggio sull'estensione da dare alla loro affermazione TI HO VISTO. La distanza che ci separava (dalla sua banchina dei cento milioni d'anni-luce la galassia era già salpata da un milione di secoli addentrandosi nel buio) avrebbe reso forse meno evidente che il mio E CON CIÒ? replicava al loro TI HO VISTO di duecento milioni d'anni prima, ma non mi parve opportuno inserire nel cartello riferimenti più espliciti, perché se la memoria di quella giornata, passati tre milioni di secoli, si fosse andata offuscando, non volevo essere proprio io a rinfrescarla.

In fondo, l'opinione che potevano essersi fatta di me in quella singola occasione non mi doveva preoccupare eccessivamente. I fatti della mia vita, quelli che si erano susseguiti da quel giorno in poi per anni e secoli e millenni, parlavano – almeno in larga maggioranza – a mio favore; quindi non avevo che da lasciar parlare i fatti. Se da quel lontano corpo celeste avevano visto cosa facevo un giorno di duecento milioni d'anni fa, mi avrebbero visto anche l'indomani, e l'indopodomani, e il giorno dopo, e il giorno dopo ancora, e avrebbero modificato a poco a poco l'opinione negativa che di me potevano essersi formata giudicando affrettatamente sulla base d'un episodio isolato. Anzi, bastava pensassi al numero d'anni che erano già passati dal TI HO VISTO per convincermi che quella cattiva impressione era ormai cancellata da tempo, e sostituita da una valutazione probabilmente positiva, e comunque più rispondente alla realtà. Però questa certezza razionale non bastava a darmi sollievo: fino a che non avessi avuto la prova di un cambiamento d'opinione a mio favore, sarei rimasto sotto il disagio dell'esser stato sorpreso in una situazione imbarazzante e identificato con essa, inchiodato lì.

Voi direte che potevo benissimo infischiarmi di cosa pensavano di me degli sconosciuti abitanti d'una costellazione isolata. Di fatto, a preoccuparmi non era l'opinione circoscritta all'ambito di questo o quel corpo celeste, ma il sospetto che le conseguenze dell'esser stato visto da loro potessero non avere limite. Intorno a quella galassia ve ne erano molte altre, alcune in un raggio più corto di cento milioni d'anni-luce, con osservatori che tenevano gli occhi bene aperti: il cartello TI HO VISTO, prima che io riuscissi ad avvistarlo, era stato certamente letto da abitanti di altri corpi celesti, e la stessa cosa sarebbe avvenuta in seguito sulle costellazioni via via più distanti. Anche se nessuno poteva sapere con precisione a quale situazione specifica quel TI HO VISTO si riferiva, una tale indeterminatezza non avrebbe giocato affatto a mio favore. Anzi, dato che la gente è sempre disposta a dar credito alle congetture peggiori, ciò che di me poteva esser stato in effetti visto a cento milioni d'anni-luce di distanza, era in fondo una cosa da niente in confronto a tutto ciò che altrove ci si poteva immaginare fosse stato visto. La cattiva impressione che potevo aver lasciato durante quella momentanea sconsideratezza di due milioni di secoli fa veniva quindi ingigantita e moltiplicata rifrangendosi attraverso tutte le galassie dell'universo, né mi era possibile smentirla senza peggiorare la situazione, dato che, non sapendo a quali estreme calunniose deduzioni potevano essere arrivati quelli che non mi avevano veduto direttamente, non avevo idea di dove cominciare e dove finire le mie smentite.

In questo stato d'animo, continuavo ogni notte a guardare intorno col telescopio. E dopo due notti mi accorsi che anche su una galassia distante cento milioni d'anni e un giorno-luce avevano messo il cartello TI HO VISTO. Non c'era dubbio che anche loro si riferivano a quella volta là: ciò che io avevo sempre cercato di nascondere era stato scoperto non da un corpo celeste solamente ma anche da un altro, situato in tutt'altra zona dello spazio. E da altri ancora: nelle notti che seguirono continuai a vedere nuovi cartelli col TI HO VISTO innalzarsi da sempre nuove costellazioni. Calcolando gli anni-luce risultava che la volta che m'avevano visto era sempre quella. A ognuno dei TI HO VISTO rispondevo con cartelli improntati a sdegnosa indifferenza, come AH SÌ? PIACERE oppure M'IMPORTA ASSAI, o anche a una strafottenza quasi provocatoria, come TANT PIS, oppure CUCÙ, SON IO!, ma sempre tenendomi sulle mie.

Per quanto la logica dei fatti mi facesse guardare al futuro con ragionevole ottimismo, la convergenza di tutti quei TI HO VISTO su di un unico punto della mia vita, convergenza certamente fortuita, dovuta a particolari condizioni di visibilità interstellare (sola eccezione, un corpo celeste sul quale, sempre in corrispondenza di quella data, apparve un cartello NON SI VEDE UN ACCIDENTE), mi faceva stare sulle spine.

Era come se nello spazio che conteneva tutte le galassie l'immagine di ciò che avevo fatto quel giorno si proiettasse all'interno d'una sfera che si dilatava continuamente alla velocità della luce: gli osservatori dei corpi celesti che via via si trovavano entro il raggio della sfera venivano messi in grado di vedere quel che era successo. A loro volta ognuno di questi osservatori poteva esser considerato al centro di una sfera che si dilatava anch'essa alla velocità della luce proiettando la scritta TI HO VISTO dei loro cartelli tutt'intorno. Nello stesso tempo tutti questi corpi celesti facevano parte di galassie che si allontanavano l'una dall'altra nello spazio con velocità proporzionale alla distanza, e ogni osservatore che dava segno d'aver ricevuto un messaggio, prima di poter riceverne un secondo s'era già allontanato nello spazio a una velocità sempre maggiore. A un certo punto le più lontane galassie che m'avevano visto (o che avevano visto il cartello

TI HO VISTO d'una galassia più vicina a noi, o il cartello HO VISTO IL TI HO VISTO di una un po' più in là) sarebbero giunte alla soglia dei dieci miliardi d'anni-luce, passata la quale si sarebbero allontanate a 300 000 chilometri al secondo, veloci quanto la luce, e nessuna immagine avrebbe potuto più raggiungerle. C'era quindi il rischio che restassero con la loro provvisoria opinione sbagliata su di me, che da quel momento sarebbe divenuta definitiva, non più rettificabile, inappellabile, e perciò, in un certo senso, giusta, cioè corrispondente a verità.

Era dunque indispensabile che al più presto l'equivoco fosse chiarito. E per chiarirlo, potevo sperare in una cosa sola: che, dopo quella volta là, fossi stato visto altre volte, mentre davo di me tutt'altra immagine, cioè quella che era – non avevo dubbi in proposito – la vera immagine di me da tener presente. Occasioni, nel corso degli ultimi duecento milioni d'anni, non ne erano mancate, e a me ne sarebbe bastata una sola, molto chiara, per non creare confusioni. Ecco, per esempio, ricordavo un giorno durante il quale ero stato veramente me stesso, cioè me stesso nel modo in cui volevo che gli altri mi vedessero. Questo giorno – calcolai rapidamente – era stato giusto giusto cento milioni d'anni fa. Quindi dalla galassia distante cento milioni d'anni-luce mi stavano proprio ora vedendo in quella situazione così lusinghiera per il mio prestigio, e la loro opinione su di me stava certamente cambiando, correggendo anzi smentendo quella prima fugace impressione. Proprio ora, o pressapoco: perché adesso la distanza che ci divideva doveva essere non più di cento milioni d'anni-luce ma almeno di centouno; comunque non avevo che da aspettare un uguale numero d'anni per dar tempo alla luce di là d'arrivare qui (la data esatta in cui sarebbe avvenuto fu presto calcolata, tenendo conto anche della «costante di Hubble») e mi sarei reso conto della loro reazione.

Chi era riuscito a vedermi nel momento x a maggior ragione mi avrebbe visto nel momento y, e dato che la mia immagine in y era molto più persuasiva di quella in x – anzi, dirò: suggestiva, tale che una volta vista non si dimenticava più –, è in y che sarei stato ricordato, mentre quanto di me era stato visto in x sarebbe stato dimenticato immediatamente, cancellato, magari dopo averlo fugacemente richiamato alla memoria, a mo' di congedo, come per dire: pensate, uno che è come y può capitare di vederlo come x e credere che sia proprio come x mentre è chiaro che è assolutamente come y.

Quasi mi rallegravo della quantità di TI HO VISTO che apparivano in giro, perché era segno che l'attenzione su di me era desta e quindi non sarebbe loro sfuggita la mia giornata più luminosa. Essa avrebbe avuto – ossia: stava già avendo, a mia insaputa – una risonanza ben più vasta di quella – limitata a un determinato ambiente, e per di più, devo ammettere, piuttosto periferico –, che io allora nella mia modestia m'ero atteso.

Bisogna poi considerare anche quei corpi celesti da cui – per disattenzione o per cattiva ubicazione – non avevano visto me ma solo un cartello TI HO VISTO nelle vicinanze, e che avevano esposto anche loro cartelli che dicevano: PARE CHE TI ABBIANO VISTO, oppure: DI LÀ SÌ CHE TI HANNO VISTO! (espressioni in cui sentivo trapelare ora curiosità ora sarcasmo); anche là c'erano occhi puntati su di me che proprio per aver mancato un'occasione non se ne lascerebbero scappare una seconda, e avendo avuto di x solo una notizia indiretta e congetturale sarebbero stati ancor più pronti ad accettare y come l'unica vera realtà che mi riguardasse.

Così l'eco del momento y si sarebbe propagata attraverso il tempo e lo spazio, avrebbe raggiunto le galassie più lontane e più veloci, ed esse si sarebbero sottratte a ogni immagine ulteriore correndo i trecentomila chilometri al secondo della luce e portando di me quell'immagine ormai definitiva, al di là del tempo e dello spazio, diventata la verità che contiene nella sua sfera di raggio illimitato tutte le altre sfere di verità parziali e contraddittorie.

Un centinaio di migliaia di secoli non sono poi un'eternità, però a me sembrava che non passassero mai. Finalmente arriva la notte buona: il telescopio l'avevo puntato già da un pezzo in direzione di quella galassia della prima volta. Avvicino l'occhio destro all'oculare, tenendo la palpebra socchiusa, sollevo pian piano la palpebra, ecco la costellazione inquadrata perfettamente, c'è un cartello piantato lì in mezzo, non si legge bene, metto meglio a fuoco... C'è scritto: TRA-LA-LA-LÀ. Soltanto questo: TRA-LA-LA-LÀ. Nel momento in cui io avevo espresso l'essenza della mia personalità, con palmare evidenza e senza rischio d'equivoci, nel momento in cui avevo dato la chiave per interpretare tutti i gesti della mia vita passata e futura e per trarne un giudizio complessivo ed equanime, chi aveva non solo la possibilità ma anche l'obbligo morale di osservare quanto io facevo e di prenderne nota, cos'aveva visto? un bel niente, non s'era accorto di nulla, non aveva notato nulla di particolare. Scoprire che tanta parte della mia reputazione era alla mercé d'un tipo che dava così poco affidamento, mi prostrò. Quella prova di chi io fossi, che per le molte circostanze favorevoli che l'avevano accompagnata potevo considerare irripetibile, era passata così, inosservata, sprecata, definitivamente perduta per tutta una zona dell'universo, solo perché quel signore s'era concesso i suoi cinque minuti di distrazione, di svago, diciamo pure d'irresponsabilità, a naso per aria come un grullo, magari nell'euforia di chi ha bevuto un bicchiere di troppo, e sul suo cartello non aveva trovato niente di meglio da scrivere che dei segni privi di senso, magari il fatuo motivetto che stava fischiettando, dimentico delle sue mansioni, TRA-LA-LA-LÀ.

Un solo pensiero mi era di qualche conforto: che sulle altre galassie non sarebbero mancati osservatori più diligenti. Mai come in quel momento fui soddisfatto del gran numero di spettatori che il vecchio episodio increscioso aveva avuto e che sarebbero stati pronti adesso a rilevare la novità della situazione. Mi rimisi di nuovo al telescopio, ogni notte. Una galassia alla distanza giusta m'apparve qualche notte dopo in tutto il suo splendore. Il cartello l'aveva. E c'era scritta questa frase: HAI LA MAGLIA DI LANA.

Con le lagrime agli occhi, m'arrovellai per trovare una spiegazione. Forse in quel posto lì, col passare degli anni, avevano talmente perfezionato i telescopi, che si divertivano a osservare i particolari più insignificanti, la maglia che uno aveva indosso, se era di lana o di cotone, e tutto il resto non gli importava niente, non ci badavano nemmeno. E della mia onorevole azione, della mia azione – diciamolo – magnanima e generosa, non avevano ritenuto altro elemento che la mia maglia di lana, ottima maglia, niente da dire, magari in un altro momento non mi sarebbe dispiaciuto che la notassero, ma non allora, non allora.

Comunque, avevo tante altre testimonianze che mi attendevano: era naturale che sul numero qualcuna venisse a mancare: non ero uno che perde la calma per così poco. Difatti, da una galassia poco più in là, ebbi finalmente la prova che qualcuno aveva visto perfettamente come m'ero comportato e ne aveva dato la valutazione giusta, cioè entusiastica. Infatti sul suo cartello aveva scritto: QUEL TIZIO SÌ CHE È IN GAMBA. Ne avevo preso atto con piena soddisfazione – una soddisfazione, si badi bene, che non faceva altro che confermare la mia attesa, anzi la mia certezza d'essere riconosciuto nei miei giusti meriti –, quando l'espressione QUEL TIZIO richiamò la mia attenzione. Perché mi chiamavano QUEL TIZIO, se mi avevano già visto, non foss'altro che in quella circostanza sfavorevole, ma insomma non potevo non essere a loro ben noto? Con qualche accorgimento migliorai la messa a fuoco del mio telescopio e scopersi in calce allo stesso cartello una riga a caratteri un po' più piccoli: CHI SARÀ? VATTELAPESCA. Si può immaginare una sfortuna più grande?

Quelli che avevano in mano gli elementi per capire veramente chi ero, non mi avevano riconosciuto. Non avevano collegato quest'episodio lodevole con quello biasimevole successo duecento milioni d'anni prima, quindi l'episodio biasimevole continuava ad essermi attribuito, e questo no, questo restava un aneddoto impersonale, anonimo, che non entrava a far parte della storia di nessuno.

Il mio primo impulso fu di sbandierare un cartello: MA SONO IO! Rinunciai: a cosa sarebbe servito? L'avrebbero visto tra più di cento milioni d'anni e con altri trecento e rotti che erano passati dal momento x, si andava verso il mezzo miliardo d'anni; per esser sicuro di farmi capire avrei dovuto specificare, tirare ancora in ballo quella vecchia storia, cioè proprio quello che più volevo evitare.

Ormai non ero più tanto sicuro di me stesso. Temevo che anche dalle altre galassie non avrei avuto soddisfazioni maggiori. Quelli che m'avevano visto, mi avevano visto in modo parziale, frammentario, distratto, o avevano capito solo fino a un certo punto cosa succedeva, senza cogliere l'essenziale, senza analizzare gli elementi della mia personalità che caso per caso prendevano risalto. Un solo cartello diceva quel che veramente mi aspettavo: MA SAI CHE SEI PROPRIO IN GAMBA! M'affrettai a sfogliare il mio quaderno per vedere che reazioni c'erano state da quella galassia al momento x. Per combinazione, era proprio là che era apparso il cartello NON SI VEDE UN ACCIDENTE. In quella zona dell'universo, io godevo certo della migliore considerazione, niente da dire, avrei dovuto finalmente rallegrarmi, invece non ne provavo nessuna soddisfazione. M'accorsi che, siccome questi miei ammiratori non erano tra quelli che prima potevano essersi fatti di me un'idea sbagliata, di loro non m'importava proprio niente. La prova che il momento y smentisse e cancellasse il momento x, loro non potevano darmela, e il mio disagio continuava, aggravato dalla lunga durata e dal non sapere se le cause ne fossero o ne sarebbero state rimosse.

Naturalmente, per gli osservatori sparsi nell'universo, il momento x e il momento y erano soltanto due tra gli innumerevoli momenti osservabili, e difatti ogni notte sulle costellazioni situate alle più varie distanze comparivano cartelli che si riferivano ad altri episodi, cartelli che dicevano VA' COSÌ CHE VAI BENE, SEI SEMPRE LÌ, GUARDA COSA FAI, L'AVEVO DETTO, IO. Per ognuno di essi potevo fare il calcolo, gli anni-luce di qui a là, gli anni-luce di là a qua, e stabilire a quale episodio si riferivano: tutti i gesti della mia vita, tutte le volte che m'ero messo un dito nel naso, tutte le volte che ero riuscito a saltare giù dal tram in corsa, erano ancora là che viaggiavano da una galassia all'altra, e venivano presi in considerazione, commentati, giudicati. Commenti e giudizi non erano sempre pertinenti: la scritta TZZ, TZZ corrispondeva a quella volta che avevo versato un terzo del mio stipendio per una sottoscrizione di beneficenza; la scritta STAVOLTA MI SEI PIACIUTO a quando avevo dimenticato in treno il manoscritto del trattato che m'era costato tanti anni di studi; la mia famosa prolusione all'Università di Gottinga era stata commentata con la scritta: ATTENTO ALLE CORRENTI D'ARIA.

In un certo senso, potevo star tranquillo: nulla di ciò che facevo, in bene o in male, si perdeva completamente. Sempre un'eco se ne salvava, anzi: più echi, che variavano da un capo all'altro dell'universo, in quella sfera che si dilatava e generava altre sfere, ma erano notizie discontinue, disarmoniche, inessenziali, dalle quali non risultava il nesso tra le mie azioni, e una nuova azione non riusciva a spiegare o a correggere l'altra, cosicché esse restavano addizionate l'una all'altra, con segno positivo o negativo, come in un lunghissimo polinomio che non è possibile ridurre a un'espressione più semplice.

Cosa potevo fare, a questo punto? Continuare a occuparmi del passato era inutile; finora era andata come era andata; dovevo fare in modo che andasse meglio in avvenire. L'importante era che, di tutto quel che facevo, risultasse chiaro cos'era l'essenziale, dove andava posto l'accento, cosa si doveva notare e cosa no. Mi procurai un enorme cartello con un segno indicatore di direzione, di quelli con la mano a indice puntato. Quando compivo un'azione su cui volevo richiamare l'attenzione, non avevo che da innalzare quel cartello, cercando di fare in modo che l'indice fosse puntato sul particolare più importante della scena. Per i momenti in cui invece preferivo passare inosservato mi feci un altro cartello, con una mano che sporgeva il pollice nella direzione opposta a quella in cui io mi rivolgevo, in modo da deviare l'attenzione.

Bastava che mi portassi dietro quei cartelli dovunque andavo e alzassi o l'uno o l'altro a seconda delle occasioni. Era un'operazione a lunga scadenza, naturalmente: gli osservatori distanti centinaia di migliaia di millenni-luce avrebbero tardato centinaia di migliaia di millenni a percepire quanto io facevo adesso, e io avrei tardato altre centinaia di migliaia di millenni a leggere le loro reazioni. Ma questo era un ritardo inevitabile; c'era purtroppo un altro inconveniente che non avevo previsto: cosa dovevo fare quando m'accorgevo d'aver alzato il cartello sbagliato?

Per esempio, a un certo momento ero sicuro di star per compiere qualcosa che m'avrebbe dato dignità e prestigio; m'affrettavo a sbandierare il cartello con l'indice puntato su di me; e proprio in quel momento m'impelagavo in una brutta figura, in una gaffe imperdonabile, in una manifestazione di miseria umana da sprofondare sotto terra dalla vergogna. Ma il gioco ormai era fatto: quell'immagine con tanto di cartello indicatore puntato lì navigava per lo spazio, nessuno la poteva più fermare, divorava gli anni-luce, si propagava per le galassie, suscitava nei milioni di secoli avvenire commenti e risa e arricciamenti di nasi, i quali dal fondo dei millenni sarebbero tornati a me e m'avrebbero obbligato ad ancor più goffe giustificazioni, a impacciati tentativi di rettifica...

156

Un altro giorno, invece, dovevo affrontare una situazione sgradevole, uno di quei casi della vita attraverso i quali uno è obbligato a passare sapendo già che, comunque vada, non c'è modo di cavarsela bene. Mi feci scudo del cartello col pollice che faceva segno verso la parte opposta, e andai. Inaspettatamente, in quella situazione così delicata e spinosa diedi prova di una prontezza di spirito, un equilibrio, un garbo, una risolutezza nelle decisioni che nessuno – e tanto meno io stesso – aveva mai sospettato in me: prodigai all'improvviso una riserva di doti che presupponevano la lunga maturazione d'un carattere; e intanto il cartello distraeva gli sguardi degli osservatori facendoli convergere su un vaso di peonie lì vicino.

Casi come questi, che dapprincipio consideravo solo eccezioni e frutti dell'inesperienza, mi succedevano sempre più di frequente. Troppo tardi m'accorgevo che avrei dovuto indicare quello che non avevo voluto far vedere, e nascondere quel che avevo indicato: non c'era modo d'arrivare prima dell'immagine e avvertire che non bisognava tener conto del cartello.

Provai a farmi un terzo cartello con scritto: NON VALE da innalzare quando volevo smentire il cartello precedente, ma in ogni galassia quest'immagine sarebbe stata vista solo dopo quella che avrebbe dovuto correggere, e ormai il male era fatto e non potevo aggiungervi che una figura ridicola in più, per neutralizzare la quale un nuovo cartello NON VALE IL NON VALE sarebbe stato altrettanto inutile.

Continuavo a vivere aspettando il momento remoto in cui dalle galassie sarebbero arrivati i commenti ai nuovi episodi calichi per me d'imbarazzo e disagio e io avrei potuto controbattere lanciando loro i miei messaggi di risposta, che già studiavo, graduati secondo i casi. Intanto le galassie con le quali ero più compromesso stavano già rotolando attraverso le soglie dei miliardi d'anni-luce, a velocità tali che, per raggiungerle, i miei messaggi avrebbero dovuto arrancare attraverso lo spazio aggrappandosi alla loro accelerazione di fuga: ecco che a una a una sarebbero scomparse dall'ultimo orizzonte dei dieci miliardi d'anni-luce oltre al quale nessun oggetto visibile può più essere veduto, e si sarebbero portate con sé un giudizio ormai irrevocabile.

E pensando a questo loro giudizio che non avrei più potuto cambiare mi venne a un tratto come un senso di sollievo, come se una pacificazione potesse venirmi soltanto dal momento in cui a quell'arbitraria registrazione di malintesi non ci fosse stato più nulla da aggiungere né da togliere, e le galassie che via via si riducevano all'ultima coda del raggio luminoso svoltato fuori dalla sfera del buio mi pareva portassero con loro l'unica verità possibile su me stesso, e non vedevo l'ora che a una a una tutte seguissero questa via.

La spirale

Per la maggioranza dei molluschi, la forma organica visibile non ha molta importanza nella vita dei membri d'una specie, dato che essi non possono vedersi l'un l'altro o hanno solo una vaga percezione degli altri individui e dell'ambiente. Ciò non esclude che striature a colori vivaci e forme che appaiono bellissime al nostro sguardo (come in molte conchiglie di gasteropodi) esistano indipendentemente da ogni rapporto con la visibilità.

I

Come me quand'ero attaccato a quello scoglio, volete dire? – *domandò Qfwfq*, – con le onde che salivano e scendevano, e io fermo, piatto piatto, a succhiare quel che c'era da succhiare e a pensarci sopra tutto il tempo? Se è di allora che volete sapere, posso dirvi poco. Forma non ne avevo, cioè non sapevo d'averne, ossia non sapevo che si potesse averne una. Crescevo un po' da tutte le parti, come vien viene; se è questo che chiamate simmetria raggiata, vuol dire che avevo la simmetria raggiata, ma per la verità non ci ho mai fatto attenzione. Perché avrei dovuto crescere più da una parte che dall'altra? Non avevo né occhi né testa né nessuna parte del corpo che fosse differente da nessun'altra parte; adesso vogliono convincermi che dei due buchi che avevo uno era la bocca e l'altro l'ano, e che quindi già allora avevo la mia simmetria bilaterale né più né meno che i trilobiti e tutti voialtri, ma nel ricordo io questi buchi non li distinguo mica, facevo passare roba per dove mi veniva voglia, in dentro o in fuori era lo stesso, le differenze e le schifiltosità sono venute molto tempo dopo. Ogni tanto mi prendevano delle fantasie, questo sì; per esempio, di grattarmi sotto le ascelle, o d'accavallare le gambe, una volta anche di lasciarmi crescere i baffi a spazzolino. Uso queste parole qui con voi, per spiegarmi: allora tanti particolari non potevo prevederli: avevo delle cellule, pressapoco uguali l'una all'altra, e che facevano sempre lo stesso lavoro, tira e molla. Ma dato che non avevo forma mi sentivo dentro tutte le forme possibili, e tutti i gesti e le smorfie e le possibilità di far rumori, anche sconvenienti. Insomma, non avevo limiti ai miei pensieri, che poi non erano pensieri perché non avevo un cervello in cui pensarli, e ogni cellula pensava per conto suo tutto il pensabile tutto in una volta, non attraverso immagini, che non ne avevamo a disposizione di nessun genere, ma semplicemente in quel modo indeterminato di sentirsi lì che non escludeva nessun modo di sentirsi lì in un altro modo.

Era una condizione ricca e libera e soddisfatta, la mia d'allora, tutto il contrario di quel che voi potete credere. Ero scapolo (il sistema di riproduzione d'allora non richiedeva accoppiamenti neppure temporanei), sano, senza troppe pretese. Quando uno è giovane, ha davanti a sé l'evoluzione intera con tutte le vie aperte, e nello stesso tempo può godersi il fatto d'esser lì sullo scoglio, polpa di mollusco piatta e umida e beata. Se si paragona con le limitazioni venute dopo, se si pensa a quello che l'avere una forma fa escludere di altre forme, al tran-tran senza imprevisti in cui a un certo punto ci si finisce per sentire imbottigliato, ebbene, posso dire che allora era un bel vivere.

Certo, vivevo un po' concentrato in me stesso, questo è vero, non c'è paragone con la vita di relazione che si fa adesso; e ammetto pure d'esser stato – un po' per l'età, un po' per influsso dell'ambiente – quel che si dice leggermente narcisista; insomma stavo lì a osservarmi tutto il tempo, vedevo in me tutti i pregi e tutti i difetti, e mi piacevo, sia negli uni sia negli altri; termini di confronto non ne avevo, va tenuto conto anche di questo.

Ma non ero mica così indietro da non sapere che oltre a me esisteva dell'altro: lo scoglio addosso al quale ero appiccicato, si capisce, e anche l'acqua che mi raggiungeva a ogni ondata, ma pure altra roba più in là, cioè a dire il mondo. L'acqua era un mezzo d'informazione attendibile e preciso: mi portava sostanze commestibili che io sorbivo attraverso tutta la mia superficie, e altre immangiabili ma dalle quali mi facevo un'idea di quel che c'era in giro. Il sistema era questo: arrivava un'ondata, e io, da attaccato allo scoglio, mi sollevavo un tantino, ma una cosa impercettibile, mi bastava allentare un po' la pressione e slaff, l'acqua mi passava sotto piena di sostanze e sensazioni e stimoli. Questi stimoli non sapevi mai come giravano, alle volte un solletico da crepare dal ridere, alle volte un brivido, un bruciore, un prurito, cosicché era una continua alternativa di divertimento e d'emozioni. Ma non crediate che stessi lì passivo, accettando a bocca aperta tutto quello che veniva: dopo un po' m'ero fatto la mia esperienza ed ero svelto ad analizzare che razza di roba mi stava arrivando e a decidere come dovevo comportarmi, per approfittarne nel miglior modo o per evitare le conseguenze più sgradevoli. Tutto stava nel giocare di contrazioni, con ciascuna delle cellule che avevo, o nel rilassarmi al momento giusto: e potevo fare le mie scelte, rifiutare, attirare e perfino sputare.

Così seppi che c'erano *gli altri*, l'elemento che mi circondava era grondante di loro tracce, *altri* ostilmente diversi da me oppure disgustosamente simili. No, adesso vi sto dando un'idea di me come d'un carattere scorbutico, e non è vero; certo ognuno continuava a badare ai fatti suoi, ma la presenza degli *altri* mi rassicurava, descriveva intorno a me uno spazio abitato, mi liberava dal sospetto di costituire un'eccezione allarmante, per il fatto che a me solo toccasse d'esistere, come di un esilio.

E c'erano *le altre*. L'acqua trasmetteva una vibrazione speciale, come un frin frin frin, ricordo quando me ne accorsi la prima volta, ossia: non la prima, ricordo quando mi accorsi che me ne accorgevo come di una cosa che avevo sempre saputo. Alla scoperta della loro esistenza, mi prese una gran curiosità, non tanto di vederle, e neppure di farmi vedere da loro – dato che, primo, non avevamo la vista, e, secondo, i sessi non erano ancora differenziati, ogni individuo era identico a ogni altro individuo e a guardare un altro o un'altra avrei provato altrettanto gusto che a guardare me stesso —, ma una curiosità di sapere se tra me e loro sarebbe successo qualcosa. Uno struggimento, mi prese, non di fare qualcosa di speciale, che non sarebbe stato il caso, sapendo che non c'era proprio niente di speciale da fare, e di non speciale nemmeno, ma in qualche modo di rispondere a quella vibrazione con una vibrazione corrispondente, o per meglio dire: una vibrazione mia personale, perché lì sì che risultava qualcosa che non era esattamente la stessa dell'altra, cioè adesso voi potete dire una cosa degli ormoni ma per me era davvero molto bello.

Ecco insomma che una di loro, sflif sflif sflif, emetteva le sue uova, e io, sfluff sfluff sfluff, le fecondavo: tutto giù dentro il mare, mescolato, nell'acqua tepida di sotto il sole, non vi ho detto che il sole io lo sentivo, intiepidiva il mare e scaldava la roccia.

Una di loro, ho detto. Perché, tra tutti quei messaggi femminili che il mare mi sbatteva addosso, dapprincipio come una minestra indifferenziata in cui per me tutto era buono e ci grufolavo in mezzo senza badare a com'era l'una e l'altra, ecco che a un certo punto avevo capito cos'era che rispondeva meglio ai miei gusti, gusti che beninteso non conoscevo prima di quel momento. Mi ero insomma innamorato. Vale a dire: avevo cominciato a riconoscere, a isolare, i segni di una da quelli delle altre, anzi li aspettavo, questi segni che avevo cominciato a riconoscere, li cercavo, anzi rispondevo a questi segni che aspettavo con altri segni che facevo io, anzi ero io a provocarli, questi segni di lei ai quali io rispondevo con altri segni miei, vale a dire io ero innamorato di lei e lei di me, cosa si poteva desiderare di più dalla vita?

Ora i costumi sono cambiati, e a voi già pare inconcepibile che ci si potesse innamorare così di una qualsiasi, senza averla frequentata. Eppure attraverso quel tanto di suo inconfondibile che restava in soluzione nell'acqua marina e che le onde mi mettevano a disposizione, ricevevo una quantità d'informazioni su di lei che non potete immaginare: non le informazioni superficiali e generiche che si hanno adesso a vedere e a odorare e a toccare e a sentire la voce, ma informazioni dell'essenziale, sulle quali potevo poi lavorare lungamente d'immaginazione. La potevo pensare con una precisione minuziosa, e non tanto pensare lei come era fatta, che sarebbe stato un modo banale e grossolano di pensarla, ma pensare lei come da senza forma qual era si sarebbe trasformata se avesse preso una delle infinite forme possibili, restando però sempre lei. Ossia, non che mi immaginassi le forme che lei avrebbe potuto prendere, però mi immaginavo la particolare qualità che lei, prendendole, avrebbe dato a quelle forme.

La conoscevo bene, insomma. E non ero sicuro di lei. Mi prendevano ogni tanto dei sospetti, delle ansietà, delle smanie. Non lasciavo trapelare nulla, voi conoscete il mio carattere, ma sotto quella maschera d'impassibilità passavano supposizioni che neppure ora riesco a confessare. Più d'una volta ho sospettato che lei mi tradisse, che dirigesse messaggi non solo a me ma pure ad altri, più d'una volta ho creduto d'averne intercettato uno, o d'aver scoperto in uno diretto a me accenti non sinceri. Ero geloso, ora posso dirlo, geloso non tanto per diffidenza verso di lei, ma perché insicuro di me stesso: chi mi garantiva che lei avesse capito bene chi io ero? anzi: che avesse capito che io c'ero? Questo rapporto

165

che si compiva tra noi due tramite l'acqua marina – un rapporto pieno, completo, cosa potevo pretendere di più? – era per me assolutamente personale, tra due individualità uniche e distinte; ma per lei? Chi mi garantiva che quel che lei poteva trovare in me non lo trovasse anche in un altro, o in altri due o tre o dieci o cento come me? Chi mi assicurava che l'abbandono con cui lei partecipava al rapporto con me non fosse un abbandono indiscriminato, alla carlona, un tripudio – sotto a chi tocca – collettivo?

Che questi sospetti non corrispondessero al vero, me lo confermava la vibrazione sommessa, privata, a tratti ancora trepidante di pudore che avevano le nostre corrispondenze; ma se appunto per timidezza e inesperienza lei non facesse abbastanza attenzione alle mie caratteristiche e di ciò approfittassero altri per intrufolarsi? e lei, novellina, credesse che ero sempre io, non distinguesse l'uno dall'altro, e così i nostri giochi più intimi venissero estesi a una cerchia di sconosciuti...?

Fu allora che mi misi a secernere materiale calcareo. Volevo fare qualcosa che marcasse la mia presenza in modo inequivocabile, che la difendesse, questa mia presenza individuale, dalla labilità indifferenziata di tutto il resto. Ora è inutile che cerchi di spiegare accumulando parole la novità di questa mia intenzione, già la prima parola che ho detto basta e avanza: *fare*, volevo *fare*, e considerando che non avevo mai fatto nulla né pensato che si potesse fare nulla, questo era già un grande avvenimento. Così incominciai a fare la prima cosa che mi venne, ed era una conchiglia. Dal margine di quel mantello carnoso che avevo sul corpo, mediante certe ghiandole, cominciai a buttar fuori secrezioni che prendevano una curvatura tutto in giro, fino a coprirmi d'uno scudo duro e variegato, scabroso di fuori e liscio e lucido di dentro. Naturalmente io non avevo modo di controllare che forma aveva quello che stavo facendo: stavo lì sempre accoccolato su me stesso, zitto e tardo, e secernevo. Continuai anche dopo che la conchiglia mi aveva ricoperto tutto il corpo, e così cominciai un altro giro, insomma mi veniva una conchiglia di quelle tutte attorcigliate a spirale, che voi a vederle credete siano tanto difficili da fare invece basta insistere e buttar fuori pian pianino materiale sempre lo stesso senza interruzione, e crescono così un giro dopo l'altro.

Dal momento che ci fu, questa conchiglia fu anche un luogo necessario e indispensabile per starci dentro, una difesa per la mia sopravvivenza che guai se non me la fossi fatta, ma intanto che la facevo non mi veniva mica di farla perché mi serviva, ma al contrario come a uno gli viene di fare un'esclamazione che potrebbe benissimo anche non fare eppure la fa, come uno che dice «bah!» oppure «mah!», così io facevo la conchiglia, cioè solo per esprimermi. E in questo esprimermi ci mettevo tutti i pensieri che avevo per quella là, lo sfogo della rabbia che mi faceva, il modo amoroso di pensarla, la volontà di essere per lei, d'essere io che fossi io, e per lei che fosse lei, e l'amore per me stesso che mettevo nell'amore per lei, tutte le cose che potevano essere dette soltanto in quel guscio di conchiglia avvitato a spirale.

A intervalli regolari la roba calcarea che secernevo mi veniva colorata, così si formavano tante belle strisce che continuavano diritte attraverso le spirali, e questa conchiglia era una cosa diversa da me ma anche la parte più vera di me, la spiegazione di chi ero io, il mio ritratto tradotto in un sistema ritmico di volumi e strisce e colori e roba dura, ed era anche il ritratto di lei tradotto in quel sistema lì, ma anche il vero identico ritratto di lei così com'era, perché nello stesso tempo lei stava fabbricandosi una conchiglia identica alla mia e io senza saperlo stavo copiando quello che faceva lei e lei senza saperlo copiava quello che facevo io, e tutti gli altri stavano copiando tutti gli altri e costruendosi conchiglie tutte uguali, cosicché si sarebbe rimasti al punto di prima se non fosse per il fatto che in queste conchiglie si fa presto a dire uguale, poi se vai a guardare si scoprono tante piccole differenze che potrebbero in seguito diventare grandissime.

Posso dire dunque che la mia conchiglia si faceva da sé, senza che io mettessi una particolare attenzione a farla riuscire in un modo piuttosto che in un altro, ma questo non vuol dire che intanto io rimanessi distratto, a mente sgombra; mi ci applicavo, invece, in quell'atto del secernere, senza distrarmi un secondo, senza mai pensare ad altro, ossia: pensando sempre ad altro, dato che la conchiglia non sapevo pensarla, come del resto non sapevo pensare neanche altro, ma accompagnando lo sforzo di fare la conchiglia con lo sforzo di pensare di fare qualche cosa, ossia qualsiasi cosa, ossia tutte le cose che si sarebbero poi potute fare. Cosicché non era nemmeno un lavoro monotono, perché lo sforzo di pensiero che lo accompagnava si diramava verso innumerevoli tipi di pensieri che si diramavano ognuno verso innumerevoli tipi di azioni che potevano servire a fare ciascuno innumerevoli cose, e il fare ciascuna di queste cose era implicito nel far crescere la conchiglia, giro dopo giro...

II

(Tanto che adesso, passati cinquecento milioni d'anni, mi guardo intorno e vedo sopra lo scoglio la scarpata ferroviaria e il treno che ci passa sopra con una comitiva di ragazze olandesi affacciate al finestrino e nell'ultimo scompartimento un viaggiatore solo che legge Erodoto in un'edizione bilingue, e sparisce nella galleria sopra alla quale corre la strada camionale con il cartellone «Volate Egyptair» che rappresenta le piramidi, e un motofurgoncino di gelati tenta di sorpassare un camion carico di copie della dispensa «Rh-Stijl» di una enciclopedia a dispense ma poi frena e si riaccoda perché la visibilità è impedita da una nuvola di api che attraversa la strada proveniente da una fila di alveari situati in un campo da cui certamente un'ape regina sta volando via tirandosi dietro tutto uno sciame in senso contrario al fumo del treno rispun-

tato all'altra estremità della galleria, cosicché non si vede più nulla per questo strato nuvoloso di api e fumo di carbone, se non alcuni metri più sopra un contadino che rompe la terra a colpi di zappa e senza accorgersene riporta alla luce e torna a sotterrare un frammento di zappa neolitica simile alla sua, in un orto che circonda un osservatorio astronomico con i telescopi puntati al cielo e sulla cui soglia la figlia del custode siede leggendo gli oroscopi di un settimanale che ha in copertina il viso della protagonista del film Cleopatra, *vedo tutto questo e non provo nessuna meraviglia perché il fare la conchiglia implicava anche fare il miele nel favo di cera e il carbone e i telescopi e il regno di Cleopatra e i film su Cleopatra e le piramidi e il disegno delle zodiaco degli astrologi caldei e le guerre e gli imperi di cui parla Erodoto e le parole scritte da Erodoto e le opere scritte in tutte le lingue comprese quelle di Spinoza in olandese e il riassunto in quattordici righe della vita e delle opere di Spinoza nella dispensa «Rh-Stijl» dell'enciclopedia sul camion sorpassato dal motofurgoncino dei gelati e così nel fare la conchiglia mi pare d'aver fatto anche il resto.*

Mi guardo intorno e chi cerco? è sempre lei che io cerco innamorato da cinquecento milioni di anni e vedo sulla spiaggia una bagnante olandese cui un bagnino con la catenella d'oro mostra per spaventarla lo sciame d'api in cielo, e la riconosco, è lei, la riconosco dal modo inconfondibile di sollevare la spalla fin quasi a toccarsi una guancia, ne sono quasi sicuro, anzi direi assolutamente sicuro se non fosse per una certa somiglianza che ritrovo anche nella figlia del custode dell'osservatorio astronomico, e nella fotografia dell'attrice truccata da Cleopatra, o forse in Cleopatra com'era veramente di persona, per quel tanto della Cleopatra vera che sopravvive in ogni rappresentazione di Cleopatra, o nell'ape regina che vola in testa allo sciame per lo slancio inflessibile con cui avanza, o nella donna di carta ritagliata e incollata sul parabrezza di plastica del motofurgoncino dei gelati, in un costume da bagno uguale a quello della bagnante sulla spiaggia la quale adesso ascolta da una radiolina a transistor una voce di donna che canta, la stessa voce che sente dalla sua radio il camionista dell'enciclopedia, e an-

che la stessa che io ormai sono sicuro di aver sentito per cinquecento milioni d'anni, è certamente lei quella che sento cantare e di cui cerco intorno un'immagine e non vedo altro che gabbiani planare sulla superficie del mare dove affiora lo scintillio d'un branco di acciughe e per un momento sono convinto di riconoscerla in un gabbiano femmina e un momento dopo ho il dubbio che invece sia un'acciuga, però potrebbe essere ugualmente una qualsiasi regina o schiava nominata da Erodoto o solamente sottintesa nelle pagine del volume messo a segnare il posto del lettore uscito nel corridoio del treno per attaccare discorso con le turiste olandesi, o una qualsiasi delle turiste olandesi, di ognuna di queste posso dirmi innamorato e nello stesso tempo sicuro d'essere innamorato sempre di lei sola.

E più mi arrovello d'amore per ciascuna di loro, meno mi decido a dire loro: «Sono io!» temendo di sbagliarmi e ancor più temendo che sia lei a sbagliarsi, a prendermi per qualcun altro, per qualcuno che da quanto lei sa di me potrebbe anche essere scambiato con me, per esempio il bagnino con la catenella d'oro, o il direttore dell'osservatorio astronomico, o un gabbiano, o un'acciuga maschio, o il lettore di Erodoto, o Erodoto in persona, o il gelataio motociclista che ora è sceso sulla spiaggia per una stradina polverosa in mezzo ai fichi d'India ed è attorniato dalle turiste olandesi in costume da bagno, o Spinoza, o il camionista che ha nel suo carico la vita e l'opera di Spinoza riassunte e ripetute duemila volte, o uno dei fuchi che agonizzano in fondo all'aveare dopo aver compiuto il loro atto di continuazione della specie.)

III

... Questo non toglie che la conchiglia fosse soprattutto conchiglia, con la sua forma particolare, che non poteva essere diversa perché era proprio la forma che gli avevo dato, cioè l'unica che io sapessi e volessi darle. Avendo la conchiglia una forma, anche la forma del mondo era cambiata, nel senso che adesso comprendeva la forma del mondo com'era senza la conchiglia più la forma della conchiglia.

E ciò aveva grandi conseguenze: perché le vibrazioni ondulatorie della luce, colpendo i corpi, ne traggono particolari effetti, il colore anzitutto, cioè quella roba che usavo per fare le strisce e che vibrava in maniera diversa dal resto, ma poi anche il fatto che un volume entra in uno speciale rapporto di volumi con gli altri volumi, tutti fenomeni di cui io non potevo rendermi conto eppure c'erano.

La conchiglia così era in grado di produrre immagini visuali di conchiglie, che sono cose molto simili – per quel che se ne sa – alla conchiglia stessa, solo che mentre la conchiglia è qui, loro si formano da un'altra parte, possibilmente su una rètina. Un'immagine presupponeva dunque una rètina, la quale a sua volta presuppone un sistema complicato che fa capo a un encefalo. Cioè io producendo la conchiglia ne producevo anche l'immagine – anzi non una ma moltissime perché con una conchiglia sola si può fare quante immagini di conchiglia si vuole – ma solo immagini potenziali perché per formare un'immagine ci vuole tutto il necessario, come dicevo prima: un encefalo con i suoi relativi gangli ottici, e un nervo ottico che porti le vibrazioni da fuori fin lì dentro, il quale nervo ottico, all'altra estremità finisce in un qualcosa fatto apposta per vedere cosa c'è fuori che sarebbe l'occhio. Ora è ridicolo pensare che uno avendo l'encefalo ne dirami un nervo come fosse una lenza tirata al buio e finché non gli spuntano gli occhi non possa sapere se fuori c'è qualcosa da vedere o no. Io di questo materiale non avevo niente, quindi ero il meno autorizzato a parlarne; però mi ero fatto una mia idea e cioè che l'importante era costituire delle immagini visuali, e poi gli occhi sarebbero venuti di conseguenza. Quindi mi concentravo per far sì che quanto di me stava fuori (e anche quanto di me all'interno condizionava l'esterno) potesse dar luogo a un'immagine, anzi a quella che in seguito si sarebbe detta una bella immagine (confrontandola con altre immagini definite meno belle, bruttine, o brutte da far schifo).

Un corpo che riesce a emettere o a riflettere vibrazioni luminose in un ordine distinto e riconoscibile – io pensavo – cosa se ne fa di queste vibrazioni? se le mette in tasca? no, le scarica addosso al primo che passa lì vicino. E come si comporterà costui davanti a vibrazioni che non può utilizzare e che prese così magari dànno un po' fastidio? nasconderà la testa in un buco? no, la sporgerà in quella direzione finché il punto più esposto alle vibrazioni ottiche non si sensibilizzerà e svilupperà il dispositivo per fruirne sotto forma di immagini. Insomma, il collegamento occhio-encefalo io lo pensavo come un tunnel scavato dal di fuori, dalla forza di ciò che era pronto per diventare immagine, più che dal di dentro ossia dall'intenzione di captare una immagine qualsiasi.

E non mi sbagliavo: ancor oggi sono sicuro che il progetto – nelle grandi linee – era giusto. Ma il mio errore era nel pensare che la vista sarebbe venuta a noi, cioè a lei e a me. Elaboravo un'immagine di me armoniosa e colorata per poter entrare nella ricettività visiva di lei, occuparne il centro, stabilirmici, perché lei potesse fruire di me continuamente, con il sogno e col ricordo e con l'idea oltre che con la vista. E sentivo che nello stesso tempo lei irradiava un'immagine di sé tanto perfetta che si sarebbe imposta ai miei sensi brumosi e tardi, sviluppando in me un campo visivo interiore dove avrebbe definitivamente sfolgorato.

Così i nostri sforzi ci portavano a diventare quei perfetti oggetti d'un senso che non si sapeva ancora bene cosa fosse e che poi diventò perfetto appunto in funzione della perfezione del suo oggetto il quale eravamo appunto noi. Dico la vista, dico gli occhi; solo non avevo previsto una cosa: gli occhi che finalmente si aprirono per vederci erano non nostri ma di altri.

Esseri informi, incolori, sacchi di visceri messi su alla meglio, popolavano l'ambiente tutt'intorno, senza darsi il minimo pensiero di cosa fare di se stessi, di come esprimersi e rappresentarsi in una forma stabile e compiuta e tale da arricchire le possibilità visive di chiunque la vedesse. Vanno, vengono, un po' affondano, un po' emergono, in quello spazio tra aria e acqua e scoglio, girano distratti, dànno volta; e noi intanto, io e lei e tutti coloro che eravamo intenti a spremere una forma da noi stessi, stiamo lì a sgobbare nella nostra buia fatica. Per merito nostro, quello spazio mal differenziato diventa un campo visivo: e chi ne approfitta? questi intrusi, questi che alla possibilità della vista non avevano mai pensato prima (perché, brutti com'erano, a vedersi tra loro non ci avrebbero guadagnato niente), questi che erano stati i più sordi alla vocazione della forma. Mentre noi eravamo chini a smaltire il grosso del lavoro, cioè a far sì che ci fosse qualcosa da vedere, loro zitti zitti si prendevano la parte più comoda: adattare i loro pigri, embrionali organi ricettivi a quel che c'era da ricevere, cioè le nostre immagini. E non mi vengano a dire che fu un travaglio laborioso anche il loro: da quella pappa mucillaginosa di cui erano piene le loro teste tutto poteva venir fuori, e un dispositivo fotosensibile non ci vuol molto a tirarlo su. Ma a perfezionarlo, vi voglio vedere! Come fai, se non ci hai degli oggetti visibili da vedere, anzi vistosi, anzi tali da imporsi alla vista? Insomma, si fecero gli occhi a nostre spese.

Così la vista, la *nostra* vista, che noi oscuramente aspettavamo, fu la vista che gli altri ebbero di noi. In un modo o nell'altro, la grande rivoluzione era avvenuta: tutt'a un tratto intorno a noi s'aprirono occhi e cornee e iridi e pupille: occhi tumidi e slavati di polpi e seppie, occhi attoniti e gelatinosi di orate e triglie, occhi sporgenti e peduncolati di gamberi e aragoste, occhi gonfi e sfaccettati di mosche e di formiche. Una foca avanza nera e lucida ammiccando con occhi piccoli come capocchie di spillo. Una lumaca sporge occhi a palla in cima a lunghe antenne. Gli occhi inespressivi d'un gabbiano scrutano il pelo dell'acqua. Di là d'una maschera di vetro gli occhi aggrottati d'un pescatore subacqueo esplorano il fondo. Dietro a lenti di canocchiale gli occhi d'un capitano di lungo corso e dietro a occhialoni neri gli occhi d'una bagnante convergono i loro sguardi sulla mia conchiglia, poi li intrecciano tra loro dimenticandomi. Incorniciati da lenti da presbite mi sento addosso gli occhi presbiti d'uno zoologo che cerca d'inquadrarmi nell'occhio di una Rolleiflex. In quel momento un branco di minutissime acciughe appena nate mi passa davanti, tanto piccole che in ogni pesciolino bianco pare che ci sia posto solo per il puntino nero dell'occhio, ed è un pulviscolo d'occhi che attraversa il mare.

Tutti questi occhi erano i miei. Li avevo resi possibili io; io avevo avuto la parte attiva; io gli fornivo la materia prima, l'immagine. Con gli occhi era venuto tutto il resto, quindi tutto ciò che gli altri, avendo gli occhi, erano diventati, in ogni loro forma e funzione, e la quantità di cose che avendo gli occhi erano riusciti a fare, in ogni loro forma e funzione, veniva fuori da quel che avevo fatto io. Non per nulla erano implicite nel mio star lì, nel mio aver relazioni con gli altri e con le altre eccetera, nel mio mettermi a fare la conchiglia eccetera. Insomma avevo previsto proprio tutto.

E in fondo a ognuno di quegli occhi abitavo io, ossia abitava un altro me, una delle immagini di me, e s'incontrava con l'immagine di lei, la più fedele immagine di lei, nell'ultramondo che s'apre attraversando la sfera semiliquida delle iridi, il buio delle pupille, il palazzo di specchi delle rètine, nel vero nostro elemento che si estende senza rive né confini.

Indice

Finito di stampare
il 10 maggio 1988
dalla Garzanti Editore s.p.a.
Milano